歷代名人年譜卷第三

南海吳榮光撰

信都譚錫慶覆校正
嘉定瞿樹辰
南海吳彌光同編校

	己未	庚申
紀年	南北朝 宋三年 右宋八帝六十年 齊高祖建元元年 名道成○葬泰安陵 魏三年	齊二年 魏四年 齊閏九月魏閏八月
時事	正月宋以蕭嶷爲荆州刺史蕭賾爲僕射○宋以謝朏爲侍中○三月宋蕭道成自稱相國封加九錫○齊公道成殺宋臨川王綽○齊以王儉爲僕射○四月齊公道成進爵爲王○齊王道成殺宋武陵王贊○齊王道成稱皇帝廢宋主爲汝陰王徙之丹陽以褚淵爲司空○魏使高允議定律令○齊劉瓛請政在孝經○齊立文武二學○齊崔祖思請令無員之官就文武二學○魏罷候官○五月齊主道成弑汝陰王滅其族年附○齊以垣崇祖爲豫州刺史○十月齊以王元邈爲梁州刺史	齊主命虞玩之等校定黃籍○魏王叡進爵中山王官屬皆名士○齊置巴州○齊以蕭鸞爲郢州刺史○十月齊以何戢爲吏部尚書○齊以楊後起爲武都王○十二月齊以褚淵爲司徒
生卒	阮士宗孝緒生 褚伯玉卒年八六 魏隴西王源賀卒於九月諡曰宣	

齊三年
齊罷南蠻校尉官○魏王叡卒
劉嗣芳顯生

辛酉

魏五年

爲詿誤者百餘人爲義孝者千餘人○魏徐兗州平以薛虎子爲徐州刺史○魏新律成

劉孝綽生　王元禮鑄生

壬戌

齊四年　魏六年

三月齊以張緒爲國子祭酒○齊主道成殂年五十六太子賾立○齊以褚淵錄尚書事王儉爲尚書令王奐爲僕射豫章王嶷爲太尉○齊罷國子學○魏以李崇爲荊州刺史○魏罷虎圈○齊江謐怨望結豫章王坐誅○魏李崇在兗州置鼓樓逐賊○魏主始親享七廟服器皆依古制

褚淵卒

癸亥

齊武帝永明元年名賾○葬景安陵　魏七年　齊閏五月魏閏四月

四月齊殺其尚書垣崇祖散騎常侍荀伯玉○五月齊殺其車騎將軍張敬兒○七月齊以王僧虔爲特進光祿大夫○齊遣將軍劉纘如魏○魏始禁同姓爲昏

于洛侯卒

甲子

齊二年　魏八年

正月齊以竟陵王子良爲司徒○六月齊以茹法亮爲中書舍人○秋魏始班祿○十月齊以長沙王晃爲中書監○十一月齊以始興王鑑爲益州刺史○齊竟陵王子良愛才禮士開西邸以范雲任昉等爲八友

乙丑

齊三年　魏九年

春齊復立國學釋奠先師用上公禮○五月齊以王儉領國子祭酒○七月魏以梁彌承爲宕昌王○魏以任城王澄都督梁益荊州軍事○齊主命劉楷討交州李叔獻入朝王儉長於禮

王僧虔卒年六

干支	紀年	事蹟	人物
		學賓客簿領應接無滯自謂風流宰相○魏禁圖讖及卜筮不經者	
丙寅	齊四年 魏十年 閏正月齊與魏同	魏作明堂辟雍○魏用李沖議置三長賦調始均○魏改中書學爲國子學	何求卒年五十六 禓後起卒
丁卯	齊五年 魏十一年	正月魏定樂章凡非雅者除之○魏李彪崔光改國書編年爲紀傳○九月魏出宮人罷末作○十二月魏以高祐爲西兗州刺史	高允卒於正月年九十八
戊辰	齊六年 魏十二年 齊閏十月魏閏九月	魏李彪上封事七條請立制度○十月齊始讀時令於太極殿 齊維衛佛題字	臧榮緒卒年七十四 皇侃生
己巳	齊七年 魏十三年	春齊以王晏爲吏部尚書○十二月齊以張緒領揚州中正江斅爲都官尚書 魏王子元郭巨石室題名	蕭景陽子顯生 高羽貞貞生 王儉卒年三十八 淮南王它卒
庚午	齊八年 魏十四年	七月齊以蕭緬爲雍州刺史○十月齊以伏登之爲交州刺史	巴東王子響卒
辛未	齊九年 魏十五年 齊閏七月魏閏六月	魏以咸陽王禧爲司州牧○魏正祀典○魏作明堂○魏李彪使於齊辭樂○齊王植集定張杜律○齊孔稚珪請置律助教○魏主饗羣臣樂懸而不作○魏主親定律令○魏置樂官○魏正官品考牧守	魏高麗王璉卒 梁鑒卒
壬	齊十年 魏十六年	魏修堯舜禹周公孔子之祀改諡宣尼曰文聖尼父親行拜祭○魏班新律○魏養老於明堂	王長源沖生 豫章王嶷卒 鄭羲卒諡曰宣

○齊詔沈約撰宋書立袁粲傳○魏主初祀明堂登靈臺覽月聽朔於十二室命齊使觀禮○齊以竟陵王子良爲揚州刺史

癸酉

齊十一年　是年太孫昭業立
魏十七年

正月齊以陳顯達爲江州刺史崔慧景爲豫州刺史○五月魏主親錄囚徒○齊主賾殂年五十四太孫昭業立以竟陵王子良爲太傅蕭鸞爲尚書令○魏以王肅爲輔國將軍○魏帝觀洛陽石經

顧允南越生
王融卒
張黑女元卒年三十二
王奐卒
鄭幼驎卒諡曰文年六十七
尉元卒諡景桓
司馬元興紹卒於七月

甲戌

齊明帝建武元年　名鸞○葬興安陵
六月改元延興　十月改元建武
魏十八年
齊閏四月　魏閏三月

正月齊以隨王子隆爲撫軍將軍○魏主南巡祭比干墓○齊蕭鸞殺直閤將軍周奉叔○魏以韓顯宗爲中書侍郎○六月齊蕭鸞弒其君昭業而立新安王昭文自爲驃騎大將軍錄尚書事封宣城公○齊以始安王遙光爲南郡太守○九月魏主考績黜陟百官○十月齊宣城公鸞自爲太傅揚州牧進爵爲王○齊宣城王鸞廢其主昭文爲海陵王而自立○齊主鸞弒海陵王○魏顯宗請取士宜擇才不宜專取門望
魏孝文弔比干墓文并陰

竟陵王子良卒
魏安定王休卒
鄱陽王鏘卒
衡陽王鈞卒

歷代名人年譜　卷三　南北朝　齊武帝　明帝　四　魏孝文帝

齊二年
魏十九年

魏主如魯城祠孔子封其後爲崇聖侯○魏禁胡語求遺書○魏置羽林虎賁○魏立國子太學四門小學○魏主至壽陽登

劉虯卒年五十八
馮誕卒
馮熙卒
魏廣川王諧卒

乙亥

振薇不忘講道好賢樂善寄以布素之意如李沖等皆以文雅親貴○魏以薛聰為直閤將軍○九月魏六宮文武遷於洛陽○魏以高陽王雍為相州刺史○十月魏詔州牧考其官屬得失品第以聞○魏行太和五銖錢

山賦詩遇雨去蓋○魏主

蕭諶卒

西陽王子明卒

司馬延宗昇生

丙子

齊三年
魏二十年
齊閏十二月魏閏十一月

正月魏改姓元氏初定族姓○二月魏詔羣臣聽終三年喪○三月魏宴羣臣及國老庶老於華林園○齊詔去乘輿金銀飾○魏詔漢魏晉諸陵皆禁樵蘇○十月魏除遁亡緣坐法

高子澄湛生

扃思行宏正生

丁丑

齊四年
魏二十一年

春齊主殺其尚書令王晏以徐孝嗣為尚書令○齊以劉季連為益州刺史○魏主謂彭城王勰二曹以才名相忌吾與汝以道德相親○魏韓顯宗力戰破賊不作露布

徐伯珍卒年八十四

劉昶卒

蕭仲達卒於八月年七十三

戊寅

齊永泰元年
七月改元永泰
魏二十二年

魏以彭城王勰為宗師○魏中尉李彪免僕射李沖卒○齊以蕭衍為雍州刺史○七月齊主鸞殂年四十太子寶卷立○齊王仲雄作懊儂歌

河東王鉉卒

王敬則卒於四月

齊東昏侯寶卷永元元年
閏八月
魏二十三年

魏以彭城王勰為司徒○四月魏主宏卒○魏北海王詳等六人受遺詔輔政太子恪立○魏以彭城王勰為驃騎大將軍都督冀定七州軍事○閏月齊主殺其僕射蕭坦之領軍劉暄○

陸厥卒年二十八

江祐卒

江祀卒

陳顯達卒

己卯

十月齊主殺其司空徐孝嗣將軍沈文季○魏以郭祚爲吏部尚書○魏主謂史不書惡人君何所畏忌○魏郭祚典選重惜官位每有銓授雖得其人必徊下筆曰此人便已貴矣

魏廣陵王郭巨石室題名二段

庚辰

齊二年
魏宣武帝景明元年
名恪○葬景陵

齊以蕭懿爲尚書令○十月魏以彭城王勰爲司徒錄尚書事

沈子厚重生
祖冲之卒年七十二
周思方宏直生
江夏王寶元卒
樂遵賢游生
崔慧景卒
蕭懿卒於十月

辛巳

齊三年
齊和帝中興元年
名寶融○葬恭安陵
魏二年
三月改元中興

正月齊王寶融稱相國蕭衍發襄陽○魏彭城王勰歸第以咸陽王禧爲太保北海王詳爲大將軍錄尚書事于烈爲領軍○三月齊相國南康王寶融廢其君寶卷爲涪陵王而自立○齊殺其甯朔將軍崔偃○魏築洛陽諸坊○魏以任城王澄都督淮南軍事○十二月齊人弒涪陵王寶卷年十九○蕭衍入建康以太后令追廢寶卷爲東昏侯自爲大司馬承制

蕭德施統生
王肅卒
孔稚珪卒年五十四
蕭穎胄卒
張冲卒
房僧寄卒
魏咸陽王禧卒
張興泰卒

歷代名人年譜　卷三　南北朝　梁武帝　齊東昏侯　六　和帝　魏宣武帝

（壬午）

齊二年
右齊七帝二十四年
梁武帝天監元年
名衍○葬修陵

正月齊大司馬衍迎宣德太后入宮稱制二月衍自爲相國封梁公加九錫○梁公衍殺齊湘東王寶晊○梁以沈約爲僕射范雲爲侍中○梁公衍進爵爲

沈雲禎麟士卒年八
邵陵王寶攸卒十四
顏見遠卒
伏恭儀卒年八十三

壬午	魏三年 梁閏六月魏閏五月	正○四月梁王衍稱皇帝廢齊主爲巴陵[illegible]別宮封拜其功臣有差○梁主衍弒巴陵王於姑孰[illegible]○梁立贖刑條格○梁徵謝朏何胤何點不至○梁定正雅樂制玄英通青陽通白藏通朱明通四器及十二笛以考鍾律○梁置謗木肺石函○梁命王亮等議定律令	
癸未	梁二年 魏四年	正月梁以沈約范雲爲左右僕射尚書令王亮廢爲庶人○梁班新律○五月梁僕射范雲卒以左丞徐勉將軍周捨同參國政○梁以謝朏爲司徒○魏以彭城王勰爲太師	楊集始卒 趙修卒
甲申	梁三年 魏正始元年 魏閏十二月	魏公孫崇請考正鍾律○魏置四門小學儒業大盛○魏詔袁翻等議定律令○梁除贖刑法	魏北海王詳卒 蔡道恭卒
乙酉	梁四年 梁閏二月 魏二年	正月梁置五經博士立州郡學○六月梁初立孔子廟	江文通卒年六十二 殷長卿不害生 鄧元起卒 曾方達卒
丙戌	梁五年 魏二年	二月魏求直言○四月魏龍鹽池之禁○魏以羊祉爲梁州刺史傅豎眼爲益州刺史	魏伯起收生 到沆卒年二十三 源懷卒
丁亥	梁六年 魏四年 梁閏十月魏閏九月	魏公孫崇請高肇監大樂○魏辛琛願得方正長史○魏以李崇爲揚州刺史○十月梁以徐勉爲吏部尚書○閏月梁以臨川王宏爲司徒沈約爲尚書令袁昂爲僕射	徐孝穆陵生
	梁七年	正月梁定官品○二月梁置州	任彥昇卒年四十九

干支	紀年	事蹟	生卒
戊子	魏永平元年 八月改元永平	望郡宗鄉豪專掌搜薦○梁以領軍蕭昺爲雍州刺史○五月梁以安成王秀爲荊州刺史○九月魏主殺其叔父彭城王勰	邱希範卒年四十五 曹景宗卒諡曰壯
己丑	梁八年 魏二年	魏命劉芳公孫崇各造樂器○魏裴延儁勸帝覽五經○魏主爲朝臣講佛經 正月魏石門銘并銘後摩崖○四月魏嵩顯寺碑	
庚寅	梁九年 魏三年 閏六月梁與魏同 梁初用祖冲之大明歷	梁主幸國子學命太子以下皆入學○梁選士流爲尚書五都令史○梁以沈約爲光祿大夫	魏中山王英卒 裴鴻生
辛卯	梁十年 魏四年	正月魏元會始用新舞○梁以張稷爲青冀刺史○魏以甄琛爲河南尹 十月魏司馬元興墓志○魏鄭義碑	
壬辰	梁十一年 魏延昌元年 四月改元延昌	正月梁免老小質作○十一月梁五禮成行之○魏以高肇爲司徒清河王懌爲司空 魏齊州刺史郭巨石室題名	
癸巳	梁十二年 魏二年 梁閏三月魏閏二月	六月梁新作太廟○魏以崔光爲太子少傅	沈休文卒年七十三 庾子山信生 釋靈琛生
甲午	梁十三年 魏三年	魏以楊津爲華州刺史○魏免其侍御史陽固官 梁瘞鶴銘	釋寶誌卒 高羽貞卒年六十
	梁十四年 魏四年	正月魏主恪殂太子詡立○魏高肇卒於二月 侍中王顯伏誅以太[illegible]高陽王	韋客卿睿卒[illegible]

乙未	丙申	丁酉	戊戌
梁閏十二月魏閏十一月	梁十五年 魏孝明帝熙平元年 名詡○葬定陵	梁十六年 魏二年	梁十七年 魏神龜元年 閏八月梁與魏同
雍尚書令任城王澄同總國事○魏以高陽王雍爲太尉清河王懌爲司徒廣平王懷爲司空○八月魏侍中于忠殺僕射郭祚尚書裴植免太保高陽王雍還就第○魏以清河王懌爲太尉廣平王懷爲司徒任城王澄爲司空于忠爲尚書令元乂爲散騎侍郎乂妻胡氏爲女侍中○九月魏太后稱制以于忠爲冀州刺史司空澄領尚書事○十月魏奪常山公于忠博平公崔光爵十二月以高陽王雍爲太師錄尚書事 魏梁鑒碑	四月梁淮堰成九月堰壞○魏太后作永甯等寺李崇以爲不如修明堂太學○魏復封于忠爲靈壽公崔光爲平恩侯○魏詔議邊鎮選舉法 梁井牀殘字	梁敕文錦不得爲仙人鳥獸之形○四月梁罷宗廟牲牢薦以蔬果○魏任城王澄奏錢非鷄眼鐶鑿並可通行○魏采王屋等山銅鑄錢○魏司徒廣平王懷卒以胡國珍爲司徒○梁以馮道根爲豫州刺史	魏補漢所立三字石經不果○魏遣使如西域求佛書○魏復鹽禁 梁許長史舊館壇碑
	魏孫長遜諶卒年九十二 可遵卒於七月年七十六	崔敬邕卒於十一月諡曰貞年五十七	安成王秀卒於二月 胡國珍卒於四月

己亥

梁十八年
魏二年

二月魏詔武官依資入選崔亮作停年格不問賢愚劉景安以書規之薛琡表諫以爲執簿呼名一吏足矣數人而用何謂銓衡○魏源子恭請成明堂辟雍○魏陳仲儒請修律準以調八音○梁以袁昂爲尚書令王暕徐勉爲僕射○魏以任城王澄爲司徒京兆王繼爲司空○魏中尉元匡免死復除爲平州刺史

梁始興忠武王碑并陰○四月魏賈伯思碑

顧希馮野王生
江總持總生
張彝卒
魏任城王澄卒於十二月
高麗王雲卒

庚子

梁普通元年
魏正光元年

魏以高陽王雍爲丞相○十月魏以汝南王悅爲太尉○魏以京兆王繼爲司徒

梁永陽昭王敷墓志○梁永陽敬太妃墓志

馮道根卒於正月
韋叡卒諡曰嚴年七十九
賀若諡生
魏中山王熙卒
常醜奴生
魏清河王懌卒於七月
司馬景和晒卒於七月

辛丑

梁二年
魏二年
閏五月梁與魏同

三月魏元乂殺將軍奚康生以宦者劉騰爲司空京兆王繼爲太保崔光爲司徒○七月梁以裴邃爲豫州刺史

劉孝標卒年六十

壬寅

梁三年
魏三年

正月魏張猛龍清頌碑并陰

裴無畏忌生
王騫卒年四十九
鄭周子卒於十月年四十七
王僧儒卒年五十八

癸卯	梁四年 魏四年 魏初用正光歷	梁始鑄鐵錢○魏作伊闕二石窟二十四年用十八萬餘工 魏高貞碑	劉騰卒 崔光卒
甲辰	梁五年 魏五年 梁閏正月魏閏二月	魏改鎭爲州○魏以費穆爲朔州刺史○梁以散騎常侍朱异掌機政	李景昇卒於八月 年六十一 張景晷生
乙巳	梁六年 魏孝昌元年	正月魏討徐州不克梁以元法僧爲司空○四月魏太后復臨朝誅其尚書令元乂以元順爲侍中鄭儼徐紇李神軌爲中書舍人○梁祖暅之爲魏作銘江革唾罵之○魏韓子熙謂事闕生殺豈係鐵劵	裴邃卒
丙午	梁七年 魏二年 梁閏十月魏閏十一月	正月魏以楊津爲北道大都督○四月魏以元順爲太常卿○五月元畧自梁歸于魏魏以爲侍中○魏葛榮以輕騎掩擊章武王融殺之○魏殺廣陽王深	陸佐公卒 年五十七 ○李琚卒 胡琛卒
丁未	梁大通元年 三月改元大通 魏三年	魏以房景伯爲東清河太守○三月梁主捨身於同泰寺○四月魏以蕭寶寅爲西討大都督○十一月魏以蕭淵藻爲北道都督鎭渦陽○魏以崔楷爲殷州刺史城陷執節不屈死	徐克孝生 到洽卒 年五十一 酈道元卒
戊申	梁二年 魏武泰元年 魏孝莊帝永安元年 名子攸○葬靜陵 二月改元武泰	二月魏太后胡氏進毒弒其主詡而立臨洮王世子釗○三月魏爾朱榮舉兵反晉陽四月至河陽立長樂王子攸而沉太后胡氏及幼主釗於河殺王公以下二千人自爲都督中外諸軍事封太原王遂入洛陽○魏爾	鄭儼卒

四月改元建義
九月改元永安

朱榮還晉陽以元天穆爲侍中錄尚書事兼領軍將軍。魏免其侍郎高乾高昂官。魏爾朱榮自爲大丞相。魏徐紇以鐵券間爾朱榮左右。魏爾朱榮鑄金像不成

己酉

梁中大通元年　十月改元中大通
魏二年
梁閏六月　魏閏七月

魏主子攸歸洛陽。爾朱榮自爲天柱大將軍。七月魏以高道穆爲中尉。魏高道穆與楊侃奏鑄永安五銖錢。八月魏太保楊椿致仕。九月梁主再捨身於同泰寺。魏以城陽王徽爲太保，蕭贊爲太尉，長孫稚爲司徒。十二月梁以陳慶之爲北兗州刺史

馬德章憲生
費穆卒

庚戌

梁二年
魏三年　十月改元建明

六月梁以元悅爲魏王。魏以宇文泰爲征西將軍行原州事。魏爾朱榮至洛陽與太宰元天穆皆伏誅。十月魏僕射爾朱世隆反與汾州刺史爾朱兆立長廣王曄於長子。十二月入洛陽遷其主子攸於晉陽而弒之。梁以陳慶之爲南北司州刺史

蕭寶寅卒
蕭贊卒

辛亥

梁三年
魏節閔帝普泰元年　名恭
二月改元普泰
十一月改元中興

二月魏樂平王爾朱世隆廢其主曄而立廣陵王恭。魏以爾朱世隆爲太保。魏以高歡爲勃海王。魏廣宗王爾朱天光殺侍中楊侃。七月爾朱世隆殺司空楊津太保楊椿夷其族。十一月魏高歡立勃海太守元朗自爲丞相敗爾朱兆等軍於

蕭德施卒年三十一
顏之推介生
何允卒年八十八
梁太子統卒於四月諡昭明

乙卯	甲寅	癸丑	壬子
梁大同元年 西魏文帝大統元年 名寶炬○葬永陵 東魏二年	梁六年 魏三年 東魏孝靜帝天平元年 名善見 十月改元天平	梁五年 魏二年	梁四年 魏二年 梁閏三月魏閔 四月 魏孝武帝永熙元年 名修 四月改元大昌 十月改元永熙
正月朔魏大丞相泰立南陽王寶炬○魏大丞相泰自爲都督中外諸軍事封安定公○東魏大丞相歡自爲相國假黃鉞加殊禮復辭不受○魏大丞相泰以蘇綽爲行臺左丞○五月魏大丞相泰自加柱國○東魏封高洋爲太原公○魏宇文泰行	魏宇文泰討侯莫陳悅誅之遂定秦隴魏以泰爲關西大都督○六月魏大丞相歡舉兵反○七月魏主脩奔長安歡入洛陽推清河王亶承制決事○魏以宇文泰爲大將軍尚書令○十月魏大丞相歡立清河世子善見於洛陽○魏以宇文泰爲大丞相○十一月東魏遷於鄴○十二月魏大丞相泰進毒弒其君脩	春魏以賀拔勝爲荆州刺史○八月魏以賀拔岳爲雍州刺史	廣阿 正月梁以袁昂爲司空○魏丞相歡克相州以楊愔爲行臺右丞○二月梁以元法僧爲東魏王○三月魏主朗入居於鄴高歡自爲太師○魏高歡入洛陽廢其主恭及朗而立平陽王脩自爲大丞相○魏主脩弒其故主恭○十一月魏主修弒安定王朗東海王曄
徐勉卒 司馬進宗卒於二月年四十一	賀拔岳卒 辛雄卒於七月 陳延茂茂生	姚伯審察生 爾朱兆卒 高乾卒	庾詵卒年七十八 爾朱天光卒 爾朱世隆卒 爾朱顯壽卒 魏汝南王悅卒 爾朱度律卒

丙辰

梁二年
西魏二年
東魏三年

二十四條新制○魏蘇綽始造案籍程式
二月東魏大丞相歡遣其世子澄入鄴輔政東魏以爲尚書令京畿大都督○東魏大丞相歡以陳元康爲功曹○四月梁以江子四爲右丞○梁陶宏景詩刺元談

阮孝緒卒年五十八
陶宏景卒於三月年八十五
魏蘭根卒

丁巳

梁三年
西魏三年
閏九月梁與魏同
東魏四年

八月梁修長干寺阿育王塔○閏月梁以武陵王紀爲益州刺史

蕭景陽卒年四十九
寶泰卒

戊午

梁四年
西魏四年
東魏元象元年

東魏禁擅立寺○十二月東魏改停年格

李延孫卒
張烈卒
高子澄卒於正月年四十三

己未

梁五年
西魏五年
閏五月梁與魏同
東魏興和元年
東魏初用興和曆

正月梁以何敬容爲尚書令○九月東魏城鄴○冬梁分諸州爲五品○魏命周惠達修定禮樂○魏丞相泰於行臺置學令丞郎府佐旦治公務晚就講習○魏置紙筆於陽武門以求言○梁自晉宋以來宰相皆以文義自逸何敬容獨勤簿領爲時俗嗤鄙○梁何敬容以質慤朱异以文華皆爲帝所寵任
東魏元象二年二月凝禪寺雲龍浮圖碑頌

劉孝綽卒年五十九
劉貴珍懿卒於十一月

庚申

梁六年
西魏六年
東魏二年

魏鑄五銖錢
東魏敬史君碑并陰

袁昂卒於八月贈謚穆公
令狐長熙熙生

辛酉	壬戌	癸亥	甲子	乙丑	[illegible]
梁七年 西魏七年 東魏三年	梁八年 西魏八年 東魏四年	梁九年 閏正月 西魏九年 東魏武定元年	梁十年 西魏十年 東魏二年	梁十一年 西魏十一年 東魏三年	梁中大同元年 四月改元中大同 西魏十二年 [illegible]梁與魏
七月魏以宇文測爲大都督行汾州事○九月魏省官員置屯田并頒六條一曰清心二曰敦教化三曰盡地利四曰擢賢良五曰恤獄訟六曰均賦役旣而又益新制十二條○十月東魏頒麟趾格 三月東魏張府君碑	八月東魏以侯景爲河南大行臺	東魏侯景改諜書取虎牢○魏以侯景爲司空○八月東魏以斛律金爲大司馬○十一月東魏築長城於肆州	三月東魏以高澄爲大將軍領中書監○四月梁尚書令何敬容有罪免○東魏以崔暹爲中尉宋游道爲左丞○魏命蘇綽損益新制行之	正月東魏作晉陽宮○魏作大誥禁文章浮華命自今文字皆如誥體○冬梁復贖刑法○梁散騎常侍賀琛上書論事詔詰責之 東魏鄭伯猷郭巨石室題名	梁以邵陵王綸爲南徐州刺史○八月東魏遷石經於鄴凡五十二碑○十月梁以岳陽王詧爲雍州刺史○東魏斛律金作敕勒歌○梁主留同泰寺講經
釋信行生	釋靜素生	劉顯卒年六十三 釋邕生	曹怡卒年七十九 劉士元焯生 賀拔勝卒於五月	皇侃卒年五十八	姚辯生 蘇綽卒

干支	年	事	名人
	同 東魏四年	寺災更作十二層浮圖○魏韋孝寬爲并州刺史○梁詔通用足陌錢	
丁卯	梁太清元年 四月改元太清 西魏十三年 東魏五年	正月梁以湘東王繹爲荆州刺史○二月魏除宮刑○三月梁主復捨身於同泰寺○東魏大將軍澄入鄴幽其主於宮中殺侍讀荀濟等而還○十二月梁立元貞爲咸陽王○魏以鄭穆爲京兆尹○東魏主有文武才高澄忌之	高歡卒 房孝沖彥謙生 闞寶顯卒於十二月年九十八
戊辰	梁二年 閏七月 西魏十四年 東魏六年	五月魏以宇文泰爲太師○梁遣散騎常侍徐陵如魏○魏太師泰殺其國臣王茂	到溉卒年七十二 羊侃卒 釋慧休生
己巳	梁三年 西魏十五年 東魏七年	二月梁以侯景爲大丞相與之盟敕止援軍湘東王繹次於武城三月侯景陷臺城○五月梁主衍殂年八十六太子綱立○六月梁湘東王繹殺太常卿劉之遴○盜殺東魏大將軍勃海王高澄於鄴○十二月梁始興太守陳霸先起兵討侯景	朱异卒 王元禮卒年六十九 劉豐生卒 蕭正德卒 蕭子雲卒 韋粲卒 永安侯確卒 沈浚卒 樊文皎卒 慕容紹宗卒 陸讓生 桂陽王慥卒 張嵊卒 元景仲卒
	梁簡文帝大寶元年名綱○葬莊陵	正月東魏高洋自爲丞相都督中外諸軍錄尚書事封齊王○梁以陳霸先爲交州刺史○三	蕭紹先卒 河東王譽卒 鄱陽王範卒

庚午

西魏十六年
東魏八年　五月東魏亡
齊文宣帝天保元年
名洋○葬武甯陵

月梁主褒飲樂游苑○五月齊王洋稱皇帝廢東魏主爲中山王○魏立蕭詧爲梁王○齊定律始立九等戶○侯景自稱漢王
東魏太公呂望表并陰○齊西門豹祠堂碑并陰○二月東魏關勝誦德碑記

莊鑄卒
南康王會理卒
武陵侯諮卒

辛未

梁二年
豫章王棟
八月改元天正
十一月改元太始
西魏十七年
齊二年
梁閏三月魏閏四月齊閏二月
齊初用天保曆

三月魏主寶炬殂太子欽立○齊以梁湘東王繹爲梁相國承制○八月侯景廢梁主綱殺太子大器而立豫章王棟○十月侯景弒梁主綱卌九年○侯景廢梁主棟自稱漢帝○十二月齊主洋弒中山王
齊風峪華嚴經石碑

梁王蕭綸卒
李遷仕卒
李虎卒
宋子仙卒

壬申

梁元帝承聖元年
名繹
西魏帝欽元年
齊三年

三月梁湘東王繹遣王僧辯陳霸先討侯景景亡走吳四月伏誅○僧辯送傳國璽歸之於齊○齊以楊愔爲僕射尚太原公主○梁以王僧辯爲司徒陳霸先爲征虜將軍開府儀同三司○梁以魯悉達爲北江州刺史○齊以辛術爲吏部尚書○十月齊築長城○梁以蕭循爲湘州刺史○齊唐邕練習軍書強敏過人○十一月梁主繹立

琛卒

癸

梁二年
西魏二年
齊四年

齊鑄常平五銖錢○八月魏以尉遲迥爲益州刺史○梁以陸法和爲郢州刺史○魏太師泰

武陵王紀卒

酉

梁魏閏十二月殺尚書元烈
齊閏十一月

皇甫元憲誕生

甲戌

梁三年
西魏恭帝元年
名廓
齊五年

春魏作九命九秩之典○魏宇文泰廢其主欽而立齊王廓復姓拓跋氏○三月梁以王僧辯為太尉陸法和為司徒○梁主復講老子百官戎服以聽○齊主殺其尚書左丞盧斐李庶○四月梁以陳霸先為司空○魏宇文泰弒其主欽○五月魏以李遷哲為信州刺史○梁以王琳為廣州刺史○八月齊殺其太保高隆之○梁主燒圖書十四萬卷曰讀書萬卷猶有今日故焚之○梁李[illegible]賦詩○梁主言我韜於文士愧於武夫○齊築四城於洛陽○十二月魏執梁主繹殺之（主年四十七）○梁王僧辯陳霸先奉晉安王方智承制

韓道生

歷代名人年譜　卷三　南北朝　西魏□帝欽　恭帝　梁元帝　敬帝　齊文宣帝　六　後梁宣帝

乙亥

梁敬帝紹泰元年
名方智
後梁宣帝天定元年
名詧○葬平陵
西魏二年
齊六年

正月梁王詧始稱帝○二月梁王方智立○五月梁王僧辯奉貞陽侯淵明歸建康以梁王方智為太子○八月齊以道士為沙門○九月梁陳霸先殺王僧辯廢淵明○十月復立方智稱藩於齊○梁陳霸先自為尚書令都督中外諸軍事○梁以陳寶應為晉安太守

梁傅弈生
齊清河王岳卒

梁太平元年
九月改元太平
後梁二年

正月魏初建六官以宇文泰為大冢宰○齊大治宮室○七月梁陳霸先自為司徒揚州刺史

徐嗣徽卒
杜龕卒
建安公淵明卒於

丙子

西魏三年
齊七年
閏八月梁與魏齊同

進爵長城公梁以侯瑱爲司空○九月陳霸先自爲丞相錄尚書事○十一月梁徵王琳爲司空不至○十二月魏太師宇文覺自爲周公（覺泰之子）○魏陸騰作伎樂誘叛獠取其城○梁以周迪爲臨川內史○齊築長城

五月蕭軌卒
宇文泰卒於十月

丁丑

梁二年
有梁四帝五十六年
陳武帝永定元年
名霸先○葬萬安陵
後梁三年
西魏四年
正月亡
周孝愍帝文覺元年
名覺○葬靜陵
周明帝元年
名毓○葬昭陵
齊八年

正月周公覺稱天王廢魏主爲宋公宇文護自爲大司馬○周大司馬護殺冢宰趙貴○周宇文護自爲大冢宰○周冢宰護弒宋公○三月周冢宰護殺趙公獨孤信○四月梁鑄四柱錢禁細錢○梁復以歐陽頠爲衡州刺史○九月梁丞相霸先自爲相國封陳公加九錫○周冢宰護弒其君覺及其柱國李遠而立甯都公毓○十月梁陳公霸先進爵爲王遂稱皇帝廢梁主爲江陰王○陳以蔡景歷爲中書通事舍人○陳置删定郎治律令○陳以蕭乾爲建安太守○周以令狐整爲豐州刺史○齊人築重城○齊主以直諫及讖語囚永安王浚上黨王渙於地牢飲食溲穢同所

齊銅雀臺石甃門銘○齊高叡修佛寺碑

歐陽信本詢生
蕭勃卒

戊寅

陳二年
後梁四年
周明帝二年
齊九年

周宇文護自爲太師○四月陳主霸先弒江陰王（王年十六）○五月陳主捨身於大莊嚴寺

齊劉貴等郭巨石室題名

齊琅琊王儼生
蕭平仲生
虞伯施世南生
齊永安王浚卒

年	紀年	事蹟	卒生
己卯	陳三年 後梁五年 周明帝武成元年 八月始稱皇帝建年號 齊十年 陳閏五月齊閏四月周與陳同 周初用克讓歷	正月周主始親政○周改都督為總管○四月齊主殺其膠州刺史杜弼○齊主殺其僕射高德政○陳豫章內史熊曇朗殺周文育○周主賜處士韋敻號逍遙公徵魏將軍寇儁入見○六月陳主霸先殂年五十九兄子臨川王蒨立○周以安成公為益州總管○十月齊主洋殂太子殷立	齊上黨王渙卒
庚辰	陳文帝天嘉元年 名蒨○葬永甯陵 後梁六年 周二年 齊廢帝乾明元年 名殷 齊孝昭帝皇建元年 名演○葬文靜陵 八月改元皇建	二月齊太傅常山王演殺尚書令楊愔等自為丞相都督中外諸軍事○四月周冢宰護進毒弒其君毓毓弟魯公邕立○八月常山王演廢其主殷為濟南王而自立○十一月齊以盧叔虎為太子庶子○齊以王晞為侍郎不受 齊靈泉寺經刻	陳衡陽王昌卒 陽翟侯褚亮生
辛巳	陳二年 後梁七年 周武帝保定元年 名邕○葬孝陵 齊武成帝太甯元年 名湛○葬永平陵 十一月改元太	正月齊以王琳為揚州刺史○二月周以韋孝寬為勳州刺史○七月周行布泉一當五○九月齊主演弒濟南王○十一月齊主演殂弟長廣王湛立改元○十二月陳立鹽賦榷酤法	

帝

齊閏十二月

壬午

陳三年

後梁世宗天保元年

名巋○葬顯陵

周二年

陳閏二月周閏

正月

齊河清元年

四月改元河清

陳改鑄五銖錢一當鵝眼之十○閏月齊以高歸彥爲冀州刺史和士開爲黃門侍郎○齊以盧潛爲揚州刺史○後梁主詧殂太子巋立○五月齊以斛律光爲尙書令

高歸彥卒

齊太原王紹德卒

癸未

陳四年

後梁二年

周三年

齊二年

正月齊以高元海爲兗州刺史○周主養老於太學○周頒新律刑有二十五等○六月陳殺其司空侯安都○齊使婁子彥酖殺河南王孝瑜於車

歐陽頠卒

甲申

陳五年

後梁三年

周四年

齊三年

陳閏十月周齊閏九月

齊初頒齊律立丁租法○九月周封李昞爲唐公○齊主殺樂陵王百年

齊鄭述祖雲峯山記○齊石佛寺迦葉經文碑

周敳卒

陳寶應卒

乙酉

陳六年

後梁四年

周五年

齊四年

齊後主天統元年

名緯

四月改元天統

四月齊主湛傳位於太子緯自稱太上皇帝以祖珽爲秘書監○十月周殺其中州刺史賀若敦

齊朱曇思等造塔記○齊鄭述祖天柱山銘○述祖雲居記

李玄規伯藥生

周迪卒

丙

陳天康元年

後梁五年

周天和元年

四月陳以孔奐爲太子詹事○陳主蒨殂年四十五太子伯宗立○五月陳以安成王頊爲司徒錄

丙戌

周初用天和歷

齊二年

尚書事徐陵爲吏部尚書○齊始用士人爲縣令

丁亥

陳臨海王光大元年 名伯宗

後梁六年

周二年

齊三年

陳閏六月齊閏八月周與陳同

二月陳安成王頊殺中書舍人劉師知又殺僕射到仲舉○八月齊以東平王儼爲司徒○冬齊流祖珽於光州

五月齊造丈八大像訟○周華嶽頌○四月齊鑌池寺記

王沖卒年七十

斛律金卒

戊子

陳二年

後梁七年

周三年

齊四年

四月齊以和士開爲僕射○十一月陳安成王頊廢其主伯宗爲臨海王卒年十九而殺始興王伯茂○齊主湛殂

八月周裴鴻碑

于謹卒諡曰文

楊忠卒於七月

裴鴻卒於八月五年

九十

己丑

陳宣帝太建元年 名頊○葬顯甯陵

後梁八年

周四年

齊五年

正月陳主頊立○四月齊以高阿那肱爲尚書令韓長鸞爲領軍陸令萱爲女侍中穆提婆爲侍中祖珽爲秘書監

顧越卒年七十七

齊趙郡王叡卒

華容卿貨卒於十二月年五十五

庚寅

陳二年

後梁九年

周五年

齊武平元年

陳閏四月周閏五月齊閏二月

二月齊以斛律光爲右丞相○陳人討歐陽紇斬之封陽春太守馮僕母洗氏爲石龍太夫人○七月齊以和士開爲尚書令

正月廿二日齊隴東王感孝頌○齊映佛巖摩崖○映佛巖大般若經○十月周譙郡太守曹恪樂碑○周曹恪碑

辛卯

陳三年

後梁十年

周六年

七月齊琅邪王儼殺和士開○齊劉桃枝殺琅邪王儼年十四

李藥師靖生

段韶卒於九月諡忠武

辛卯	壬辰	癸巳	甲午
齊二年	陳四年 後梁十一年 周建德元年 二月改元建德 齊三年 陳閏十二月齊閏十一月	陳五年 後梁十二年 周二年 周閏正月 齊四年	陳六年 後梁十三年 周三年 齊五年
	二月齊以祖珽爲僕射○周主討其太師宇文護殺之○周主親政以其弟齊公憲爲大冢宰衛公直爲大司徒○六月齊主殺其左丞相咸陽王斛律光以祖珽知騎兵外兵事○秋周使杜杲如陳○十一月周毀上善殿 十二月十六日齊邑義主一百人等造靈塔記	五月齊以祖珽爲北徐州刺史○六月齊主游南苑從官賜死者六十人以高阿那肱爲司徒○八月周太子贇納妃楊氏隋公堅之女也○十月齊主殺其侍中張雕崔季舒○齊置文林館命李德林顏之推共撰修文殿御覽○齊武士歌蘭陵王入陣曲○周宇文孝伯請選正人爲太子師友○周主辯儒道釋先後○齊韓長鸞疾士人唯事譖訴 齊臨淮王像碑	周鑄五行大布錢○五月周廢佛道教毀淫祠○周立通道觀○十二月陳以孔奐爲吏部尚書
楊敷卒於六月諡忠壯	魏伯起卒年六十七 郭正一生	齊蘭陵王長恭卒 王琳卒 于犀角孝顯生 釋慧靜生	孔仲達穎達生 溫彥博生 周宏正卒年七十九 陳護生 高思好卒 甯翙威贇生 周衛王直卒 齊南陽王綽卒

	紀年	事蹟	人物
乙未	陳七年 後梁十四年 周四年 齊六年 陳閏八月周閏十月齊閏九月	三月周使開府儀同三司伊婁謙如齊齊人留之○四月陳焚文錦於雲龍門 齊尖山摩崖經刻	周宏直卒年七十六
丙申	陳八年 後梁十五年 周五年 齊隆化元年 十二月改元隆化	陳太子請以江揔為詹事孔奐以為太子文華不少宜用敦重之才○陳太子詹事江揔免 十二月齊主為周所敗奔鄴齊立安德王延宗改元德昌周人執之	趙彥深卒 高士廉儉生
丁酉	陳九年 後梁十六年 周六年 齊幼主承光元年 名恒 正月亡	正月朔齊主緯傳位於太子恒周師圍鄴緯出走周主入鄴齊丞相高阿那肱引周師追緯及恒獲之遂滅齊○梁主覲周於鄴○周詔舉山東明經幹治者○四月周主至長安封高緯為溫公十月殺之○周以李德林為內史上士○五月周主毀其宮室之壯麗者○八月周定權衡度量○十一月周頒刑書要制	
戊戌	陳十年 後梁十七年 周七年 周宣帝大成元年 名贇○葬定陵 三月改元宣政 贇立改元大成 陳閏五月周閏六月	五月周主邕伐突厥有疾而還六月殂太子贇立以鄭譯為內史中大夫○七月周以楊堅為上柱國大司馬○九月陳主及其羣臣盟	房喬松元齡生 熊植之安生卒 周齊王憲卒 蓋藝成文達生 李光明汪生

己亥

陳十一年
後梁十八年
周二年
周靜帝大象元年名闡○葬恭陵
二月改元大象
周初用丙寅元歷

二月周治洛陽宮○周主殺其徐州總管王軌及宮正宇文孝伯○周主贇傳位於太子闡自稱天元皇帝○十二月周初作乞寒胡戲○陳初用大貨六銖錢○周徙石經還洛陽○周初行刑經聖制○周初復佛天尊像天元與二像並坐設樂縱觀○周鑄永通萬國錢
周匡喆刻經讃

董美人生
許濟博洛仁生

庚子

陳十二年
後梁十九年
周二年

正月周稅入市者人一錢○五月周主贇殂隋公楊堅自爲大丞相假黃鉞居東宮徵諸王還長安○周復佛道二教○周丞相堅以高熲爲司馬○十二月周丞相堅自爲相國進爵隋王加九錫○周劉昉鄭譯矯詔以堅輔政○周顏之儀不署詔○之儀不受楊堅符璽○周孝懋獻尉斗及十三鐶帶於楊堅
周北邛惠暉等刪山經刻○
周葛山磨崖經刻

魏元成徵生
王洪範軌生
韋孝寬卒於十二月
周畢剌王賢卒
周趙王招卒
周越王盛卒
尉遲迥卒
周陳王純卒
周王謙卒
周代王達卒
周滕王逌卒

辛丑

陳十三年
後梁二十年
周大定元年
二月亡
隋文帝開皇元年
名堅○諱堅曰固○葬太陵
又避父名忠曰誠兼避中字曰內稱中國曰神

二月隋王堅稱皇帝○隋改官名○隋廢周主闡爲介公○隋主盡滅宇文氏之族○隋徵蘇威爲太子少保○三月隋以賀若弼爲吳州總管韓擒虎爲廬州總管○隋以蘇威爲納言○四月隋放散樂禁雜戲○隋築長城○五月隋主堅弑介公闡○隋鑄五銖錢○隋以梁彥光爲湘州刺史房恭懿爲海州刺

庾子山卒年六十九
顧希馮卒年六十三
顏師古籀生
樂遜卒年八十二
突厥佗鉢卒
韓仲良貞生
李文生

壬寅

閏　陳閏二月隋閏四月

陳十四年
後梁二十一年
隋二年

史○十二月隋聽民出家賦錢寫佛書造佛像○隋命高熲等定新律行之去梟轘及鞭法立議請減贖官當之科○隋蘇綽曰孝經一卷足以立身治國

正月陳主頊殂年五十三太子叔寶立○六月隋作新都於龍首山○隋罷江陵總管

劉德威生
陳始興王叔陵卒
豆盧寬生

癸卯

陳後主至德元年名叔寶○隋諡曰煬
後梁二十二年
隋三年
陳閏十一月隋閏十二月

正月陳以長沙王叔堅爲江州刺史○二月陳以毛喜爲永嘉內史○三月隋遷於新都○隋命左右僕射分判六部○陳以長沙王叔堅爲司空十二月免○隋減調役弛酒鹽禁○隋詔求遺書○隋罷郡爲州○隋陳袁彥來聘畫帝像而去○隋蘇威屢請更律令李德林以爲律令新成非大爲民害者不宜易○隋詔蘇威等刪定律爲百條十二卷自是刑網簡要○隋杞州刺史和千子免六月隋老子廟碑

沈子厚卒年四十八
徐孝穆卒年七十七
令孤德棻生
王仲淹通生
李崇卒
張文瑾琮生

甲辰

陳二年
後梁二十三年
隋四年
隋初用甲子元曆

春梁主入朝於隋○五月陳以江總爲僕射○六月隋作廣通渠○隋詔公私文翰並宜實錄○李諤亦上書曰魏之三祖崇尚文詞江左齊梁其弊彌甚連篇累牘不出月露之形積案盈箱唯是風雲之狀其文日繁其政日亂○陳起臨春結綺望仙閣作臨春樂玉樹後庭花等曲○陳江總等朝夕酬歌賦詩○隋

王居士孝寬公卒

薛道衡聘陳帝令勿以言辭相折

干支	紀元	事蹟	生卒
乙巳	陳三年 後梁二十四年 隋五年	隋作輸籍法○隋頒五禮○五月梁主巋殂太子琮立○陳主殺其中書通事舍人傅縡○隋復置江陵總管○隋築長城	尉遲敬德生
丙午	陳四年 後梁後主廣運元年名琮 隋六年 陳閏七月隋閏八月	隋頒曆於突厥○隋令刺史上佐歲莫更上考課○八月隋殺其上柱國梁士彥宇文忻劉昉○十月隋以楊尚希為禮部尚書○陳以江總為尚書令○二月隋仲思那等造橋碑并側○十二月隋龍藏寺碑并陰側	
丁未	陳禎明元年 後梁二年九月亡 隋七年	隋初令諸州歲貢士三人○二月隋開揚州山陽瀆○九月隋滅梁以其主蕭琮為莒公○陳臨平湖自開○陳主殺其大市令章華 隋王子華白佛山題名	釋道因生 釋靈琛卒於三月 年七十五 于德芳生
戊申	陳二年 隋八年	陳主奏妓飲酒賦詩不輟○隋下詔伐陳寫詔書三十萬紙遍諭江外	于志甯仲謐生 突厥莫何卒 樊積慶興生
己酉	陳三年正月亡 右陳五帝三十三年 文帝開皇九年閏六月	正月總管賀若弼韓擒虎進軍滅陳獲其主叔寶○以許善心為散騎常侍○二月置鄉正里長○投陳孔範等於邊裔○以陳江總袁憲等為開府儀同三司○閏月以蘇威為僕射楊素為納言○八月以王雄為司空○十二月以辛公義為岷州刺史○高熲自稱文吏焉敢與大	殷不害卒 年八十五 施文慶卒 蕭巖卒 蕭瓛卒 陳叔愼卒 樂安公元諧卒 釋海生

庚戌 十年

將軍論功○詔定雅樂○詔毀甲仗興文學○賀若弼上御授七策帝不省○帝命牛宏等議樂鄭譯請立七音八十四調何妥沮之帝令上用黃鐘一宮及得陳樂帝以為華夏正聲置清商署

十二月隋章仇氏造經象碑

帝猜忌不悅學○史萬歲攻溪洞十旬無聲問者皆以為沒萬歲置書竹筒中浮以白楊素○洗夫人載詔書自稱使者歷十餘州諭降俚獠○李德為湖州刺史○柳莊為饒州刺史○楊素為內史令

李君才卒於二月

姚善意懿生

辛亥 十一年

二月趙芬碑

壬子 十二年 閏二月

二月以劉曠為莒州刺史

六月詔立僧尼二寺記○澧水造橋記

楊素才藝風調優於高熲推誠體國處物平當不如熲遠○七月蘇威以開府就第尚書盧愷除名○八月制諸州死刑悉移大理奏裁

張景畧卒於正月 年六十八

滕王瓚卒

薛伯裒收生

許敬宗生

韓擒虎卒

癸丑 十三年

二月作仁壽宮○禁藏讖緯○詔議明堂制度○祖孝孫從毛爽受三百六十律法

曹子建碑○二月少容山佛經

崔安上敦禮生

十四年 閏十月

四月行新樂毀前代金石萬寶常聞新樂泣曰淫厲而哀天下不久盡矣○劉孝孫與覲論歷

釋信行卒於正月 年五十五

江總卒 年七十六

甲寅	乙卯	丙辰	丁巳	戊午	己未
十五年	十六年		十七年 初用張冑元歷 閏五月	十八年	十九年
○帝謂陳叔寶以作詩之功何如思安時事○七月以蘇威爲納言○十月王劭焚香閉目歌皇隋靈感志三十卷○齊州刺史盧賁有罪除名	文武官四考受代○二月收天下兵器○仁壽宮成以封德彝爲內史舍人○六月鑿底柱○十月以韋世康爲荊州總管○賜汴州刺史令狐熙帛三百匹	初令工商不得仕進○八月詔死罪三奏然後行刑 八月賀誼碑○宋文彪等澧水石橋碑	部亭廟還多設樂○史萬歲討南甯羌入自蜻蛉川過諸葛亮紀功碑文曰碑即仆蠻爲漢奴後諸夷果遣使請降萬歲勒石頌美隋德而還○秦王浚坐奢僭免官楊素諫上曰何不別制天子兒律 安喜公李君碑○十月蜀王美人董氏墓志	十二月置行宮十二所 十一月陳茂碑	六月殺宜陽公王世積○八月除左僕射高熲名○九月以牛弘爲吏部尚書
裴忌卒年七十三 李勣生 陳延茂卒年六十 潘尊師子真師正生		褚遂良生 釋元奘生 劉同壽祥道生 張世生 賀若誼卒年七十七諡曰威	裴君倩鏡民卒於三月 魯公虞慶則卒 高麗王湯卒 董美人卒於七月年十九	馬憲卒年七十 段志元生	徐克孝卒年七十三 乙速孤昭祐神慶生

甲子

四而自立遂殺故太子勇流尚書柳述侍郎元巖於嶺南○貶許善心為給事中以洛陽為東京

首山舍利塔碑

陳後主叔寶卒年五十二

乙丑

煬帝大業元年 名廣○以廣潤為霸武廣恩為洮陽廣平為永平餘以大字長字代之○葬江都 閏七月

廢諸州總管府○二月以楊素為尚書令○五月築西苑作清夜游曲馬上奏之○劉方破林邑獲其金廟主十八刻石紀功而還○開通濟渠引汴水開邗溝置離宮造龍舟○八月帝如江都

常醜奴卒於十二月年六十八

丙寅

二年

正月併省州縣○四月帝還東京○始建進士科○改修律令○裴蘊奏徵天下散樂魚龍山車等大集東都制舞人衣兩都錦綵為之空竭○六月以楊素為司徒○七月制百官不得計考增級

大海寺唐高祖造象記○十月唐高祖為子祈疾疏

姚伯審卒年七十四 楊素卒於七月 釋楚金生

丁卯

三年

三月殺故長甯王儼及其弟七人○改州為郡○更定官制○七月築長城○殺太常卿高熲尚書宇文弢光祿大夫賀若弼○免內史令蕭琮僕射蘇威官○以楊文思為納言○頒大業律○徵天下散書多製豔篇播新聲音極哀怨○冬以裴矩為黃門侍郎經畧西域○幸啓民可汗帳賦詩曰呼韓頓顙至屠

狄懷英仁傑生

者接踵來何如漢天子空上單于臺○劉炫謂古者文案省故士多而府史少今文簿緐鍊不密則萬里追證百年舊案

戊辰 四年 閏三月

正月開永濟渠○以元壽爲內史令○三月帝如五原遂巡長城○七月復築長城○九月徵天下鷹師至者萬餘人

李孝同生
釋道安生
甯翔威卒年三十五

己巳 五年

正月改東京爲東都○禁民間兵器○冬以裴蘊爲御史大夫○殺司隸大夫薛道衡
四月甯贙碑○王摩侯舍利塔碑○雷明府石像碑

庚午 六年 閏十二月

正月陳百戲於端門執樂者萬八千人○置散樂博士弟子相授樂工至三萬餘人○三月帝如江都○張衡坐語言放還田里○十二月穿江南河○詔百官戎服從駕

陸讓卒於正月年六十
二十
馮本生
劉士元卒年六十七
牛宏卒於十二月

辛未 七年

七月陳叔毅修孔子廟碑

姚辯卒於三月謚曰恭年六十六
阿史那忠生

壬申 八年

道士潘誕伏誅○九月帝還東都○慰撫使劉士龍伏誅諸將皆除名

張衡卒
楊達卒
元壽卒
段文振卒

癸酉 九年 閏九月

二月復宇文述官爵○孟海公起濟陰見人稱書史輒殺之○帝誅薛道衡王胄而誦其詩○以唐公李淵爲宏化留守○十二月內史舍人韋福嗣等伏誅

蕭平仲卒年五十六
楊元感卒
馮孝慈卒
釋圓測生

十年

十二月帝如東都殺太史令庾

甲戌

乙亥

十一年

質。以張須陁為河南討捕大使

帝令學士修書成萬七千餘卷。帝於觀文殿作書室。增祕書省官百二十員。殺郕公李渾夷其族。以李淵為山西河東撫慰大使。冬詔江都更造龍舟

房孝沖卒於五月 謚曰定年六十九

丙子

十二年 閏五月

楚帝林士宏太平元年

春作毘陵宮。三月宴羣臣於西苑。夏除納言蘇威名。七月帝如江都命越王侗留守殺諫者任宗崔民象王愛仁。十二月鄱陽林士宏稱楚帝據江南。帝如江都以詩留別宮人曰我夢江都好征遼亦偶然。民間謠歌曰桃李子皇后繞揚州宛轉花園裏莫浪語誰道許。時郡縣告敗求救虞世基抑損表狀不以實聞

潘長文卒

蔡王智積卒

宇文述卒於十月

張須陁卒

丁丑

十三年

西都恭帝侑義寧元年

楚帝林士宏太平二年

長樂王竇建德丁丑元年國號夏

魏公李密永平元年

定揚可汗劉武周天興元年

梁帝梁師都永隆

正月竇建德稱長樂王。翟讓李密據興洛倉擊敗東都兵讓推密稱魏公。魏公畧取河南諸郡。魏祖君彥移檄數煬帝十罪。魏公召魏徵掌記室。魏公以書說滎陽太守楊慶下之。三月突厥立劉武周為定揚可汗取樓煩定襄鴈門諸郡。梁師都取雕陰宏化延安等郡自稱梁帝引突厥寇邊。夏四月金城校尉薛舉起兵隴西自稱西秦霸王。李淵自稱大將軍開府置官屬。薛舉自稱秦帝據

王仲淹卒年三十五

盧明月卒

王威卒於五月

高君雅卒於五月

高德儒卒

宋老生卒

翟讓卒

戊寅

元年
永樂王郭子和丑平元年
秦帝薛舉秦興元年
梁王蕭銑鳴鳳元年

天水○九月以江都婦女配將士○蕭銑起兵巴陵自稱梁王○十一月李淵立代王侑爲皇帝尊帝爲太上皇○淵自爲大丞相封唐王以建成爲唐王世子世民爲秦公元吉爲齊公

十四年
右隋四帝三十八年
西都恭帝侑義寧二年
東都恭帝侗皇泰元年五月禪位於唐
唐高祖武德元年

三月隋宇文化及弑其君廣於江都（帝年十九三）立秦王浩○梁王銑稱皇帝○五月唐王淵稱皇帝○唐罷郡置州以太守爲刺史○隋越王侗稱皇帝○唐定律令置學校○越王即位東都、六月唐以秦公世民爲尚書令裴寂爲右僕射知政事劉文靜爲納言竇威蕭瑀爲內史令

劉感卒
堯君素卒
李密卒
許善心卒

名淵○諱淵爲深或爲泉改陶淵明爲泉明○葬獻陵又避祖名虎曰獸或改爲武以虎膠爲滸膠○父名昞兼避丙曰景

楚帝林士宏太平三年
夏長樂王竇建德五鳳元年
魏公李密二年八月降唐
定揚可汗劉武周

○唐廢隋帝侑爲酅國公、唐以孫伏伽爲治書侍御史○唐竇威卒以竇抗陳叔達爲納言○八月秦主舉殂子仁杲立○唐立李軌爲涼王○隋人葬煬帝於江都○隋宇文化及殺秦王浩自稱許帝○冬唐以李密爲光祿卿封邢國公○唐以淮安王神通爲山東安撫大使○朱粲自稱楚帝取唐鄧州刺史呂子臧死之○隋以王世充爲太尉○唐以李襲譽爲太府少卿○十一月涼王軌稱帝、唐秦王世民破秦兵圍折墌秦主仁杲出降尋斬之於市○唐以李素立爲侍御史○唐以舞胡

大興二年
梁帝梁師都永隆
二年
永樂王郭子和丑
平二年
六月降唐
秦帝薛舉秦興二
年
十一月爲唐所
滅
梁王蕭銑鳴鳳二
年
京王李軌安樂元
年
許帝宇文化及天
壽元年

安叱奴爲散騎侍郎○徐世勣
降唐賜姓李氏

楚帝朱粲元年
燕王高開道始興
元年
東都恭帝侗皇泰二
年
五月亡
唐高祖武德二年
閏二月○初用
傅仁均戊寅歷
楚帝林士宏太平
四年
夏長樂王竇建德
五鳳二年
定揚可汗劉武周
天興三年
梁帝梁師都永
隆

正月隋王世充殺總管劉孝元
獨孤武都○唐置宗師○朱粲
降唐以爲楚王○唐以宇文士
及爲上儀同封德彝爲內史侍
郎○唐以楊恭仁爲涼州總管
○唐以鄭善果爲內史侍郎○
隋王世充自稱鄭王尋稱帝○
唐遣安興貴襲執涼主軌以歸
殺之○五月鄭主世充弒隋主
侗○唐以徐圓朗爲兗州總管
○八月唐酅國公薨年十五謚曰
隋恭帝○唐殺其民部尚書劉
文靜○唐以李綱爲太子少保

宇文化及卒
張善相卒

己卯

三年
梁王蕭銑鳴鳳三年
涼王李軌安樂二年
四月爲唐所滅
許帝宇文化及天壽二年
二月爲夏誅滅
楚帝朱粲二年
二月降唐
燕王高開道始興二年
鄭帝王世充開明元年
梁王沈法興延康元年
吳帝李子通明政元年

○唐以夏侯端爲秘書監

庚辰

唐
唐高祖武德三年
楚帝林士宏太平五年
夏長樂王竇建德五鳳三年
定楊可汗劉武周天興四年
四月爲唐所滅
梁帝梁師都永隆四年
梁王蕭銑鳴鳳四年

二月唐以封德彝爲中書令○四月唐秦王世民擊宋金剛破之定楊可汗劉武周及金剛皆走死○五月唐立老子廟於羊角山有御製碑○唐改納言等官

獨孤懷恩卒
碭士林卒

燕王高開道始興三年
十月降唐
鄭王世充二年
梁沈法興二年
十二月爲吳所
滅
吳李子通二年

辛巳

唐高祖武德四年
閏十月
楚帝林士宏太平
六年
夏長樂王竇建德
五鳳四年
五月唐擒滅之
梁帝梁師都永隆

梁王蕭銑鳴鳳五
年
十月降唐
鄭王世充三年
五月降唐
吳李子通三年
十一月爲鼎所
滅

唐初行開元通寶錢○唐置天策上將十八學士秦王開文學館延杜如晦房元齡等使閻立本圖像褚亮爲贊號十八學士時人謂之登瀛洲○夏王建德將兵救鄭夏五月唐秦王世民大破擒之鄭王世充降○七月唐以蘇世長爲諫議大夫○唐秦王世民至長安獻俘太廟赦王世充斬竇建德○唐黜太常樂工爲民○唐遣趙郡王孝恭李靖伐梁梁主銑降

四月唐秦王告少林寺主教

李元通卒

壬午

唐高祖武德五年
楚帝林士宏太平
七年
十月殂國亡
梁帝梁師都永隆
六年
漢東王劉黑闥天

正月劉黑闥自稱漢東王○楚王林士宏卒其衆遂散○高開道叛唐自稱燕王○唐太子令秦齊教與詔敕並行○唐帝謂世民爲書生所教非復我昔日子

唐觀音寺碣

楚李子通卒

造元年

干支	紀元	事蹟	生卒
癸未	唐高祖武德六年 梁帝梁師都永隆七年 漢東王劉黑闥二年正月爲唐所滅 宋輔公祏天明元年	正月漢東將諸葛德威執其君黑闥降唐唐斬之○夏唐以裴寂蕭瑀爲僕射楊恭仁封德彝爲中書令	徐圓朗卒 劉世讓卒 文安縣主生
甲申	唐高祖武德七年閏七月 梁帝梁師都永隆八年 宋輔公祏二年三月爲唐所滅	正月唐置大中正○二月唐置州縣鄉學明一經者皆敘用○唐帝詣國子學釋奠於先聖先師○唐高麗請班歷○三月唐初定官制○四月唐行新律令○唐改大總管府爲大都督府○高開道爲其下所殺詔以其地爲嬀州○唐趙郡王孝恭克丹陽斬輔公祏○唐命韋仁壽撿校南甯州都督	薛收卒年卅三
乙酉	唐高祖武德八年 梁帝梁師都永隆九年	始改與突厥書爲詔敕○以張鎮周爲舒州都督○九月令太府撿校諸州權量○十一月裴矩罷以宇文士及權侍中○加秦王世民中書令齊王元吉侍中	張柬之生
	唐高祖武德九年 梁帝梁師都永隆十年	正月以裴寂爲司空○二月以齊王元吉爲司徒○六月秦王世民殺太子建成齊王元吉立世民爲皇太子決軍國事○以魏徵王珪爲諫議大夫○帝自稱太上皇○七月以高士廉爲侍中房元齡宇文士及爲中書	敬君弘卒 廬江王瑗卒

丙戌

令蕭瑀封德彝爲僕射○八月太子即位○放宮女三千餘人○置宏文館學士○以張元素爲侍御史○傅奕請除佛法○張蘊古上大寶箴其畧曰聖人受命拯溺亨屯故以一人治天下不以天下奉一人又曰勿汶汶而闇勿察察而明上嘉之以爲大理丞○祖孝孫定禮樂○傅奕謂邪僻之人取莊老飾妖幻爲佛教

二月唐宗聖觀記并側○十二月唐孔子廟堂碑一西安本一城武本

丁亥

唐太宗貞觀元年

名世民○改世爲代或爲系典籍中或作卅以民部爲戶部凡民字皆改從人○葬昭陵

閏三月

梁帝梁師都永隆十一年

詔諫官入閣議事○更定律令○以戴胄爲大理少卿○二月分天下爲十道○命京官五品以上更宿中書內省○以蕭瑀爲左僕射○高士廉罷○宇文士及罷○御史大夫杜淹參預朝政○十二月蕭瑀免○以孫伏伽爲諫議大夫○令吏部四時選集併省吏員○徵隋秘書監劉子翼不至○以李乾祐爲侍御史

李晦生

李藝卒

封德彝卒於六月

戊子

唐太宗貞觀二年

梁帝梁師都永隆十二年

五月唐討平之

正月長孫無忌罷○置六司侍郎左右司郎中○遣右衛大將柴紹等討梁師都其下殺之以降以其地爲夏州○九月令致仕官位在本品之上○出宮女三千餘人○十月殺瀛洲刺史盧祖尚○詔舉堪爲縣令者○

杜淹卒

戊子

祖孝孫奏唐雅樂凡八十四調三十一曲十二和○上謂煬帝文辭奧博而行事悖戾○上謂梁武帝好釋老朕惟好堯舜周孔之教如鳥有翼如魚有水○王珪勸上用經術士

己丑

唐三年　閏十二月

二月以房元齡杜如晦爲僕射魏徵守秘書監參預朝政○上謂中書唯署詔勅誰不可爲○舍人五花判○上皇徙居大安宮○孔穎達論有若無實若虛○顏師古請撰王會圖○六月以馬周爲監察御史○十一月以荀悅漢紀賜涼州都督李大亮○杜如晦罷

五月寶室寺鐘銘○閏月等

慈寺塔記銘

裴寂卒

庚寅

四年

上讀明堂不答囚背○以溫彥博爲中書令戴胄參預朝政蕭瑀參議朝政○加李靖光祿大夫尋爲右僕射○七月勅百司詔勅未便者皆執奏○以李綱爲太子少師蕭瑀爲太子少傅○李大亮爲西北道安撫大使○以張儉撿校代州都督○十一月以侯君集參議朝政

十一月昭仁寺碑并陰

杜如晦卒謚曰襄

辛卯

五年

不受新羅女樂○八月殺大理丞張蘊古○帝獵於後苑○十月詔議封建○十二月開黨項之地爲十六州

三月房彥謙碑并陰側○十

李綱卒謚曰貞

釋邕卒年八十九

王仁求生

一月化度寺碑

鄅公張公謹卒於

壬辰 六年 閏八月

正月羣臣請封禪不許○三月帝如九成宮○閏月宴近臣於丹霄殿○冬以陳達爲禮部尙書○帝如慶善宮作功成慶善樂爲九功之舞○虞世南上聖德論上曰卿未知其終

九成宮醴泉銘

四月

王元宗生

釋基公生

癸巳 七年

王珪罷以魏徵爲侍中○宴元武門奏七德九功舞○更名破陳樂曰七德舞○蕭瑀請寫劉武等擒獲狀○魏徵不視七德舞○李淳風造渾天黃道儀○十一月以長孫無忌爲司空○十二月帝奉太上皇置酒未央宮○賜太子庶子于志甯孔穎達等金帛○削工部尙書段綸階（品級也）

獨孤仁政生

豆盧貞順遜生

陸達禮元感生

甲午 八年

正月以李靖等爲黜陟大使分行天下○十月營大明宮○以李靖爲特進○聘鄭氏女爲充華既而罷之○以皇甫德參爲監察御史

頡利卒

乙未 九年 閏四月

五月太上皇崩（年七十一）○七月詔禮官議廟制○十一月以蕭瑀爲特進參預政事

于辯機知微生

丙申 十年

葬文德皇后帝自爲文刻石○上爲魏王泰開文學館○吐谷渾請頒曆行年號○六月以溫彥博爲右僕射楊師道爲侍中○禁尙書告訐者○魏徵爲特進○黜治書侍御史權萬紀○

乙速孤行儼生

趙思廉思生

于犀齊卒於四月（年六十四）

丁酉　戊戌　己亥

歷代名人年譜 卷三 唐 太宗

十一年

更命統軍別將爲折衝果毅都尉

十一月汝南公主墓志

以武氏爲才人○頒新律令○魏徵上十思疏○行新禮○房元齡等草封禪儀○作飛山宮○六月以王珪爲魏王泰師○六月以荊王元景長孫無忌等爲諸州刺史子孫世襲○七月穀洛水溢詔百官極言過失○十月獵洛陽苑

六月溫彥博碑○十月裴鏡民碑

姚簡之思廉卒

溫彥博卒於六月諡曰恭年六十四

韓仲良卒諡曰定年五十七

張文瓘卒於十二月諡曰懿年五十五

十二年 閏二月

二月帝發洛陽觀砥柱祠禹廟遂至蒲州○贈隋堯君素蒲州刺史○七月以高士廉爲右僕射○十二月以馬周爲中書舍人○以霍元軌爲徐州刺史○頒氏族志○上命高士廉等撰氏族志貶舊望崇今貴○上不習文章曰人主患無德政

虞伯施卒於五月諡文懿年八十一

釋靜素卒於七月年七十九

釋法如生

十三年

正月加房元齡太子少師○五月旱詔五品以上言事○魏徵上十漸疏○詔停襲封刺史○太子以游畋廢學張元素諫○傅奕精究術數而不信○詔內職有闕選良家有才行者充○十一月以楊師道爲中書令劉洎爲黃門侍郎參知政事

二月張琮碑

蘇昌容瓌生

傅奕卒於十二月年八十五

王珪卒諡曰懿

王宏慶慶生

十四年 閏十月

命孔穎達會諸儒撰五經正義○太常卿韋挺爲封禪使○貶

庚子　辛丑　壬寅　癸卯

十五年

司門員外郎韋元方爲華陰令
○飛騎給博士授經高麗吐番
等皆遣子弟入學升講筵者八
千餘人以劉仁軌爲櫟陽丞○
十一月詔李淳風考定戊寅歷
○十二月以張元素爲銀靑光
祿大夫
四月屏風帖○六月姜行本
碑并側○十一月于孝顯碑
○十二月陳元瑜等和衆甎
刻

命呂才刊定陰陽襍書○五月
有星孛於太微詔罷封禪從褚
遂良之請也○起復于志寧爲
太子詹事○遣職方郎中陳大
德使高麗○十一月以李世勣
爲兵部尚書
伊闕佛龕碑

歐陽信本卒年八十五
釋慧靜卒年六十九

十六年

正月魏王泰上括地志○以岑
文本專知機密○七月以長孫
無忌爲司徒房元齡爲司空○
九月以魏徵爲太子太師○十
二月帝獵於驪山
五月孟法師碑銘○段志元
碑

宇文士及卒於十
月
段志元卒謚忠壯
年五十四
貞和上生

十七年　閏六月

圖功臣于淩烟閣○上自製魏
徵碑文并爲書石尋踣○劉洎
請令太子務學問親師友○上
欲自觀國史朱子奢諫○上命
直書六月四日事○以張亮爲
洛州都督○以太子太保蕭瑀
詹事李世勣同中書門下三品

魏徵卒於正月謚
文貞年六十四
齊王祐卒
居士竇自然天生
生

丙午　　乙巳　　甲辰

年	紀事	生卒
	○高士廉罷仍同三品○遣太常丞鄧素使高麗○七月貶杜正倫為交州都督○房元齡等上高祖今上實錄 陸讓碑	
十八年	三月以薛萬徹為右衛大將軍○七月以劉洎為侍中岑文本馬周為中書令○九月以褚遂良為黃門侍郎參預朝政○手詔諭天下減供頓太半 十二月蓋文達碑	于徽本大猷生 程師朗元景生 韓通卒於二月年九 一十 蓋藝成卒年六十七 李大亮卒於十二月諡曰懿
十九年	正月帝發洛陽○封比干墓○上親征高麗至安市城更名所幸山曰駐蹕山刻石紀功○岑文本卒以許敬宗檢校中書侍郎○復立魏徵碑○十一月易州司馬陳元璹以罪免○十二月殺侍中劉洎○以馬周攝吏部尚書 二月太宗祭比干文	顏師古卒年六十五 褚宏度無量生 蕭孔明思亮生 釋神贍生
二十年 閏三月	帝還京師○帝如靈州勅勒諸部請吏上為詩曰雪恥酬百王除凶報千古刻石○十月貶蕭瑀為商州刺史○幸房元齡第○刑部尚書張亮坐養假子五百與術士論符讖誅 正月晉祠銘并陰○三月慧休法師記德文	釋慧休卒於三月年九十九 司馬文達卒於五月年四十五
二十一年	以勅勒諸部為州縣○五月帝如翠微宮○張昌齡獻翠微宮頌先是王師旦知貢舉以昌齡	高士廉卒諡文憲年七十二 陽翟侯褚亮卒於

戊申　己酉

二十二年
閏十二月

及王公治文體輕薄黜之上聞而善之。以李素立燕然都護。以李緯爲洛州刺史。發江南工人造大船

正月上作帝範十二篇賜太子。阿史那社爾擊龜茲勒石紀功。李君羨以謠讖誅。以崔仁師爲中書侍郎參知機務。以長孫無忌檢校中書令。帝如玉華宮。崔仁師坐罪除名流連州。九月以褚遂良爲中書令

三月於泥寺心經。六月孔穎達碑。十二月十日七寶轉輪王經墨蹟

十月 十年八

陳令將憲生
王子安勃生
梁師聽寺生
馬賓王周卒於正月 十年八四
文安縣主卒於二月 十年六十
孔仲達卒 十年五七
房喬松卒諡文昭 十年一七
李重規卒 十年四八
蕭瑀卒諡貞褊

歷代名人年譜　卷三　唐太宗　高宗　四十五

二十三年

三月帝有疾詔太子聽政。四月帝如翠微宮。五月以李世勣爲疊州都督。帝崩 十年三五 長孫無忌褚遂良受遺詔輔太子還宮發喪罷遼東兵。以于志甯張行成爲侍中高季輔爲中書令。六月太子即位。改官名犯先帝諱者。以長孫無忌爲太尉李勣爲開府儀同三司並同三品。九月以李勣爲左僕射

五月太宗哀册文。順義公碑。十二月客米甄刻

李藥師卒諡景武 十年七九

高宗永徽元年
名治。諱治爲理或爲制改治爲

十月李勣解僕射仍同三品。以褚遂良爲同州刺史

六月豆盧逕碑。四月樊興

梁永徽師亮生
契苾若水明生
樊積慶興卒於四

庚戌	
年	書侍御史爲御史中丞治中爲司馬治禮部爲奉禮郎。葬乾陵
事	碑。李懷[illegible]清德碑
人物	月諡曰思年六十二 豆盧寬卒於六月諡曰定年六十九

辛亥	
年	二年 閏九月
事	頒新律令式。以黃門侍郎宇文節中書侍郎柳奭同三品。八月以于志寧張行成爲僕射同三品高季輔爲侍中 馬周碑
人物	李明允賢生 王鳴鶴仁皎生 姚元之崇生 師恒律師生 李思訓生 李文卒於十月七年 十

壬子	
年	三年
事	以褚遂良爲吏部尚書同三品。二月帝御安福門觀百戲。三月以宇文節爲侍中柳奭爲中書令韓瑗爲黃門侍郎同三品。七月立陳王忠爲皇太子。九月以中書侍郎來濟同三品
人物	劉德威卒年七十一 濮王泰卒於十二月

癸丑	
年	四年
事	二月流宇文節於嶺表。以李勣爲司空。九月以褚遂良爲右僕射。十一月以崔敦禮爲侍中 十月慈恩寺聖教序。十二月褚書三藏聖教序記
人物	元年沖澹生 房遺愛卒 郭正一卒年八十二 荆王元景卒 崔敦禮卒年六十一 張行卒 吳王洛卒 高季輔卒

甲寅	
年	五年 閏五月
事	三月以太宗才人武氏爲昭儀。柳奭罷。以長孫無忌庶子三人爲朝散大夫 萬年宮銘并陰
人物	釋海卒於十一月年六十六

年	六年
事	六月以韓瑗爲侍中來濟爲中書
人物	釋敬節生

乙卯

書令。七月貶柳奭爲榮州刺史。以李義府爲中書侍郎。八月始置員外同正官。以裴行儉爲西州長史。九月貶褚遂良爲潭州都督。十月廢皇后王氏爲庶人立昭儀武氏爲皇后。以中書侍郎李義府參知政事

三月韓仲良碑。八月薛收碑

李元秀生

丙辰

顯慶元年

正月以太子忠爲梁王立代王宏爲皇太子。二月贈武士彠司徒賜爵周國公。七月貶王義方爲萊州司戶。十二月程智節免官

十二月崔敦禮碑

唐茂約儉卒

王右士孝寬卒於十一月年七十三

丁巳

二年

閏正月

三月以褚遂良爲桂州都督李義府兼中書令。遣天竺方士歸國。八月貶韓瑗來濟褚遂良皆爲遠州刺史。以許敬宗爲侍中杜正倫爲中書令。以洛陽宮爲東都。詔禁僧尼受父母及尊者拜。以劉祥道爲黃門侍郎知選事

房仁裕碑。十一月舍利函記

李智元生

戊午

三年

行許敬宗所修新禮。尉遲敬德學延年術秦淸商樂以自奉。十一月貶杜正倫爲橫州刺史李義府爲普州刺史。以許敬宗爲中書令辛茂將爲侍中

張元禕。李靖碑并陰。十

釋大智生

張允卒於正月

釋道因卒於三月年七十二

尉遲敬德卒於十一月諡忠武年

己未

四年　閏十月

月王居士塼塔銘

四月以于志甯同三品許圉師參知政事○削太尉趙公長孫無忌官封黔州安置○六月改氏族志爲姓氏錄○更修姓氏錄以后族爲首○以許圉師爲侍中○詔許敬宗議封禪儀○七月殺長孫無忌柳奭韓瑗○貶高履行爲永州刺史于志甯爲榮州刺史○四月尉遲恭碑○善興寺塔銘○八月紀功頌○十月蘭陵公主碑

四十

徐元固堅生　賀季真知章生　馬貞規懷素生　辛茂將卒　褚登善卒年六十四　豆盧貞順卒於四月年二十七

庚申

五年

二月帝如并州還宮○四月作合璧宮○盧承慶免○十月初令皇后決百司奏事

八月平百濟國碑

趙敾沖生　釋普賢生　乙速孤昭祐卒於八月年六十二　李光明卒於九月年八十三

辛酉

龍朔元年　三月改元龍朔

上欲親征高麗皇后表諫而止○上見王勃檄雞文逐之○六月以西域諸國爲州府

正月韓通碑○顯慶六年二月岱岳觀碑并陰及兩側○六祖墜腰石題字

劉知幾子元生　高延福生　于履揖士恭生

壬戌

二年　閏七月

正月改百官名○薛仁貴敗鐵勒兵軍士歌曰將軍三箭定天山壯士長歌入漢關○五月以許圉師爲左丞相○八月以許敬宗同三品○十月以上官儀同三品○許圉師罷

四月許洛仁碑

任雅相卒於軍　張世卒於九月年六十七　來濟卒於十月　杜君綽卒謚曰襄年六十二　姚善意卒於十二

癸亥 甲子 乙丑 丙寅 丁卯

癸亥 三年

正月以李義府為右相夏四月除名流嶲州○蓬萊宮成

二月杜君綽碑○十月道因法師碑并碑額佛號

月諡文獻年七十三

宋廣平璟生

郭思謨生

于德芳卒於二月諡曰定年七十七

許濟博卒於四月諡曰勇年八十五

甲子 麟德元年

正月以殷王旭輪為單于大都護○八月以劉祥道竇德元為左右相○十二月殺同三品上官儀劉祥道罷梁王忠賜死○以樂彥瑋孫處約同三品

四月于德芳碑○十月會善寺碑○清河長公主碑

鄖公孝協卒

釋元奘卒於二月年六十九

乙丑 二年 閏三月

三月以姜恪同三品○四月以陸敦信為右相樂彥瑋孫處約罷○郊廟初用慶善破陳二舞○張公藝九世同居書忍字百餘

于志寧卒於十月諡曰定年七十八

丙寅 乾封元年 初用李淳風麟德曆

正月封泰山禪社首○車駕還過曲阜祠孔子○至亳州尊老君為太上元元皇帝○四月車駕還京師○五月鑄乾封泉寶錢○七月以劉仁軌為右相

○二月贈泰師孔宣公碑并陰○十一月于志寧碑○十二月紀國陸妃碑

令狐德棻卒諡曰憲年八十四

劉祥道卒年七十一

龐德威卒於十二月年六十八

李義府卒

竇德元卒

武惟良卒

丁卯 二年 閏十二月

罷乾封泉寶錢○郭待封以離合詩求糧仗○元萬頃檄高麗誚其不守鴨綠○六月以楊宏武戴至德李安期張文瓘趙仁本並同三品八月李安期罷

張道濟說生

楊仲珣珣生

郭敬之生

釋楚金卒於七月年六十

	戊辰	己巳	庚午	辛未	壬申	癸酉	
	總章元年	二年	咸亨元年 三月改元咸亨 閏九月	二年	三年	四年 閏五月	上元元年 八月改元上元
五月令狐熙碑。十一月王軌碑。郭君碑	十月以盧迦逸多爲懷化大將軍。十二月置安東都護府。以姜恪閻立本爲左右相	詔定明堂制度法象陰陽不果立。二月以李敬元同三品。以盧承慶爲司刑太常伯。以郝處俊同三品。定銓注法 七月龍門石龕佛像銘	正月劉仁軌致仕。三月許敬宗致仕。閏月皇后以旱請避位不許。加贈武士彠爲太原王夫人爲妃。趙仁本罷。十二月詔官名復舊 總章三年碧落碑。五月李孝同碑	張阿難碑	以劉仁軌同三品。十一月以邢文偉爲右史王及善爲左千牛衛將軍 王知敬書金剛經	詔劉仁軌修改國史 十月鄭惠王石塔記	正月以劉仁軌爲鷄林道大總管。三月封武承嗣爲周國公
張體微生 王洪範卒於十二月 年八十八	楊宏武卒 釋道安卒於十月 年六十一	鄭耀遠溫球生 臧貞節懷恪生 李勣卒於十一月 謚貞武 年七十六 李孝同卒於十二月 年六十二			許敬宗卒於八月 年八十一 姜恪卒	馮貞慈慶卒於五月 閻立本卒於十月 馮本卒 年六十四 茹守福生	王仁求卒於八月 年四十四

甲戌

○八月帝稱天皇后稱天后○九月追復長孫無忌官爵○天后請舉人習老子父在為母服三年增京職○劉曉論選曹以書判取士又論禮部用文章為甲乙有朝登甲乙夕陷刑辟日誦萬言何關理體文成七步未足化人

大德寺造象建閣碑

陳護卒 [illegible]山頌

乙亥 二年

天后令元萬頃劉禕之等撰列女傳臣軌樂書百僚新戒等書時人謂之北門學士○以韋宏機為司農卿○四月以逍璩為括州刺史○太子宏卒謚孝敬皇帝立雍王賢為太子○八月以戴至德劉仁軌為左右僕射張文瓘為侍中郝處俊為中書令李敬元同三品

八月孝敬皇帝叡德頌○王札等造浮圖銘○十月阿史那忠碑

王子安卒年二十八

阿史那忠卒謚曰貞年六十五

丙子 儀鳳元年 十一月改元儀鳳 閏三月

正月以來恒薛元超同三品○以高智周同三品○九月以狄仁傑為侍御史○以李敬元為中書令

上元三年明徵君碑

裴連城光庭生

段行琛生

李楷洛生

丁丑 二年

二月以高藏為朝鮮王扶餘隆為帶方王○郇王素節著忠孝論○郝處俊高智周罷○以張大安同三品○詔廢顯慶新禮

修孔子廟詔表○十月李勣碑并陰

戊寅	己卯	庚辰	辛巳	壬午	癸未
三年 改元通乾復罷之 閏十一月	調露元年 六月改元調露	永隆元年 八月改元永隆	開耀元年 十月改元開耀 閏七月	永淳元年 二月改元永淳	宏道元年 十二月改元宏道
魏元忠上疏陳禦吐蕃之策○以李敬元爲洮河道大總管○詔復奏破陳樂 四月劉通洛刻經記	正月幸東都.司農卿韋宏機免○四月以郝處俊爲侍中 儀鳳四年四月棲霞寺講堂碑并陰	三月以裴行儉爲定襄道大總管○四月裴炎崔知溫王德眞同三品○八月貶李敬元爲衡州刺史○廢太子賢爲庶人立英王哲爲皇太子	正月宴百官及命婦於麟德殿○三月郝處俊罷○以劉仁軌爲太子少傅○以裴炎爲侍中崔知溫薛元超爲中書令○徵處士田游巖爲太子洗馬○徙故太子賢於巴州	立皇太孫重照○王方慶奏置師傅等官○以郭待舉岑長倩郭正一魏元同並中書門下同承受進止平章事○七月作奉天宮○十月以劉景先同平章事○以婁師德爲河源軍經畧副使	開耀二年二月開業寺碑 李義琰致仕○詔太子監國以裴炎劉景先郭正一兼東宮平章事○十二月帝崩年五十六太子顯即位尊天后爲皇太后○以
李泰和邕生 張子壽九齡生 許智仁卒於正月 張文瓘卒 來恒卒	戴至德卒 顏瑤生	李廣業生		裴行儉卒於四月諡曰憲 零陵王明卒 潘尊師子眞卒諡曰體元先生年九十八 釋基公卒年五十一	崔知溫卒 劉感生 李元靖先生含光生

劉仁軌爲左僕射裴炎爲中書令劉景先爲侍中○郭正一罷
永淳二年九月天后御製詩書碑

甲申

中宗嗣聖元年
名顯○諱顯爲
晃○葬定陵
二月改元嗣聖
睿宗文明元年
名旦○兼避但
坦字○葬橋陵
八月改元文明
武太后光宅元年
名曌○永昌元年自制名改詔日制
閏五月

正月以韋玄敏同三品○二月太后廢帝爲廬陵王立豫王旦○太后以劉仁軌爲西京留守○太后始御紫宸殿○太后以王德眞爲侍中劉禕之同三品○三月太后殺故太子賢○四月太后遷帝於房州○閏月太后以武承嗣同三品○太后以馮元常爲隴州刺史○武承嗣罷○九月太后改元及服色官名立武氏七廟○李敬業起兵楊州討武氏駱賓王作檄○太后殺侍中裴炎以騫味道爲內史李景諶同平章事○李景諶罷太后以崔詧同平章事○郭待舉罷太后以韋方質同平章事○太后殺單于道安撫大使程務挺
文明元年八月進聖記

李明允卒年三十四
張安生生
張希古生

乙酉

太后垂拱元年
嗣聖二年

頒垂拱格○二月太后以武承嗣裴居道韋思謙同三品○三月太后遷帝於房州○沈君亮崔詧武承嗣罷○太后貶騫味道爲青州刺史○五月太后以裴居道爲內史流王德眞於象州以蘇良嗣爲納言○太后以百官及百姓皆得自舉○六月太后以韋待價同三品○七月

房彥謙生
劉仁軌卒

丙戌　丁亥　戊子

垂拱二年　嗣聖三年

垂拱三年　嗣聖四年

閏正月

垂拱四年　嗣聖五年

太后以魏元同同三品。太后以僧懷義爲白馬寺主

垂拱元年十二月奉先觀老君像碑并陰

正月太后歸政於豫王旦尋復稱制。二月太后以李孝逸爲施州刺史。三月太后置銅匭受密奏。四月太后鑄太儀。六月太后以岑長倩爲內史蘇良嗣韋待價爲左右相韋思謙爲納言。有山出於新豐。太后以狄仁傑爲冬官侍郎

垂拱二年四月王徵君臨終口授銘

三月韋思謙致仕。四月太后以蘇良嗣爲西京留守。太后以裴居道爲納言張光輔平章事。太后殺同三司劉禕之。七月太后以魏元同爲納言。九月虢州人楊初成矯制募人迎帝於房州太后殺之。十月太后流李孝逸於儋州。太后罷御史監軍

太后拜洛受圖。太后立崇先廟。二月太后毁乾元殿作明堂。四月太后殺太子舍人郝象賢。五月太后加號聖母神皇。河南巡撫大使狄仁傑奏焚淫祠。八月瑯琊王冲越王貞舉兵匡復不克而死太后遂大殺唐宗室。越王貞誦經帶辟兵符尋敗。太后以鬻味道

王元宗卒於四月　年五十五

劉元尚生

釋神瞻卒於四月　年四十二

鄭遈生

梁師輮卒於十一月　年四十一

王本立同平章事。明堂成作天室

垂拱四年正月沐澗魏夫人祠碑。垂拱四年四月姜源神泉詩并陰

永昌元年
十一月改元載初用周正
嗣聖六年
閏九月

四月太后以武承嗣爲納言張光輔爲內史。太后殺汝南王緯鄱陽公諲等十二人及天官侍郎鄧元挺。八月太后殺內史張光輔。閏月太后殺同平章事魏元同。十月太后殺鄭王璥等六人。太后以范履冰邢文偉同平章事。十一月太后享萬象神宮始用周正以十一月爲歲首。太后自名曌改詔曰制。造十二字

孟襄陽浩然生
紀王慎卒
李晦卒於二月年六 卄
釋法如卒於七月年五十二

永昌元年二月李晦碑。永昌元年二月陶大舉德政碑。載初元年狄府君碑

周天授元年
九月改國號曰周改元天授
唐嗣聖七年

二月太后策貢士於洛城殿。僧法明等撰大雲經稱太后當代唐主閻浮提須於天下。太后殺南安王頴等十二人及故太子賢二子。太后以武承嗣爲左相武攸寧爲納言邢文偉爲內史王本立罷。太后流韋方質於儋州。七月太后流舒王元名於和州以侯思止王宏義爲侍御史。九月武氏改國號曰周稱皇帝以豫王旦爲皇嗣改姓武氏。十月周以徐有功爲

蘇良嗣卒
范履冰卒
澤王上金卒
許王素節卒

侍御史○十一月周易服色改
置社稷宗廟
載初一年二月乙速孤神慶
碑

辛卯

周天授二年
唐嗣聖八年

二月周流其右丞周興於嶺南
○八月周殺其將軍張虔勗○
九月周平章事傅遊藝自殺○
周以武攸甯為納言狄仁傑同
平章事○周殺其同平章事格
輔元右相岑長倩納言歐陽通
○周殺右將軍李安靜
天授二年姜遐斷碑

周興卒
索元禮卒
裴遵慶生

壬辰

周長壽元年
四月改元如意
九月改元長壽
唐嗣聖九年
閏五月

周武氏引見存撫使所舉人○
周以郭霸為監察御史○周貶
狄仁傑魏元忠為縣令○五月
禁天下屠殺採捕○七月周左
相武承嗣罷以李昭德同平章
事○周流其御史嚴善思於驩
州○太后雖以祿位籠天下士
不職者尋亦黜之○九月周更
以九月為社○狄仁傑裂衾為
書訴冤得召見與知古等七家
俱免死○薛謙光論試策彎弧
不足取文武士○周制宰相撰
時政記月送史館○出杜肅表
示張德
如意元年七月獲嘉縣浮圖
銘○長壽元年七月狄梁公
像并免民租疏

癸巳

周長壽二年
唐嗣聖十年

周以婁師德同平章事○周殺
其尚方監裴匪躬○三月周殺
其侍御史侯思止○周以萬國

甲午

周延載元年
五月改元延載
唐嗣聖十一年

後爲侍御史
周鑄天樞於端門刻太后功德武三思爲文太后自書其傍曰大周萬國頌德天樞○周以婁師德爲河源等軍撿校營田大使○五月周武氏加越古之號○八月周以杜景儉同平章事○周貶來俊臣爲同州參軍流王宏義於瓊州○周貶其內史李昭德爲賓尉○十一月周武氏加慈氏之號

程師朗年五十七卒於正月

乙未

周天冊萬歲元年
證聖元年九月改元天冊萬歲
唐嗣聖十二年
閏二月

劉知幾著思愼賦以刺時事○劉知幾表陳四事○周天樞成○九月周武氏自號天冊金輪大聖皇帝○十一月周武氏封嵩山禪少室○周安平王武攸緒棄官隱嵩山
證聖元年二月小石橋碑

契苾若水卒諡曰靖年四十六

丙申

周萬歲通天元年
臘月改萬歲登封四月改萬歲通天
唐嗣聖十三年

姚元崇治軍書剖析如流○十月契丹陷冀州周以狄仁傑爲魏州刺史○周以婁師德同平章事○周以姚元崇爲夏官侍郎○周以徐有功爲殿中侍御史○十一月周殺其箕州刺史劉思禮等三十六家流其親屬千餘人○周以張昌宗爲散騎常侍張易之爲司衛少卿
萬歲登封元年封禪壇碑

李盡忠卒
梁永徽年四十七卒於七月
釋圓測年八十四卒於八月

周神功元年
九月改元神功
唐嗣聖十四年
閏十月

鑄九鼎成○改正月爲閏月取正月甲子朔冬至○周以王及善爲內史○六月周來俊臣伏誅○周殺其右司郞中喬知之

郭子儀生
李昭德卒於六月

丁酉

○周以武承嗣武三思同三品
○九月周以魏元忠爲肅政中
丞○閏月周以狄仁傑同平章事
○周以李嶠知天官選事
萬歲通天二年四月馮善廓
浮圖銘○萬歷通天二年八
月焦知慶供佛記

戊戌

周聖歷元年
九月武后以帝
爲太子
唐嗣聖十五年

三月帝還東都○周以狄仁傑武承嗣卒
兼納言○周以武攸甯同三品高戩卒於九月
○周以蘇味道同平章事○十
月周以狄仁傑爲河北道安撫
大使○孫萬榮檄索廬陵王○
閻知微蹋萬歲樂○周以姚元
崇同平章事○周閻知微伏誅
以田歸道爲夏官侍郎○周置
控鶴監○十二月周以魏元忠

同平章事○周貶宗楚客爲播
州司馬
聖歷元年正月王仁求碑○
聖歷元年十月龍龕道場碑

己亥

周聖歷二年
唐嗣聖十六年

韋嗣立請崇儒學○帝及武攸婁師德卒於八月
暨等誓於明堂○八月周以王王景秀景生
及善爲文昌左相○周以武三
思爲內史○周以韋嗣立爲鳳
閣舍人○十一月周貶吉頊爲
安固尉○十二月周同平章事
陸元方罷○周以狄仁傑爲內
史
聖歷二年六月昇仙太子廟
碑并陰○聖歷二年十月潤
南令李府君殘碑

周久視元年

周復以正月爲歲首○命張易狄仁傑卒諡曰文

庚子

五月改元久視
十月復寅正
唐嗣聖十七年
閏七月

之集文學之士作三教珠英○周造大像○周以韋安石同平章事○十二月周開屠禁
聖歷三年于大猷碑○久視元年夏日游石淙詩

惠年九十四
于大猷卒於十月年五十七

辛丑

周大足元年
周長安元年
十月改元長安
唐嗣聖十八年

三月周流張錫於循州○六月周以李迥秀同平章事○十一月周以崔元暐爲天官侍郎○周以郭元振爲涼州都督○蘇安恒疏請禪位東宮
大足元年五月大雲寺碑○
大足元年秋日宴石淙序

李太白白生
盧混成濤生
王摩詰維生
蘇裴道安積生
趙思廉卒於八月
年六十六

壬寅

周長安二年
唐嗣聖十九年

周設武舉○秋周賜張昌宗爵鄴國公○十一月周命監察御史蘇頲案雪寃獄○蘇安恒復上疏○十二月周以張嘉貞爲監察御史
張子壽擢進士○長安二年正月順陵殘碑○長安二年二月李㢸徽刻經造像記○長安二年七月漢紀信碑并陰

居士竇自然卒於正月年六十
顧琮卒

癸卯

周長安三年
唐嗣聖二十年
閏四月

閏月周改文昌臺爲中臺○七月周以唐休璟同三品○周貶魏元忠爲高要尉流張說於嶺南○周以裴懷古爲桂州都督○周遣使以六條察州縣○是歲子壽見張燕公○長安三年七月信法寺碑

徐季海浩生

甲辰

周長安四年
唐嗣聖二十一年

周作興泰宮○周平章事朱敬則致仕○三月周以韋嗣立等爲諸州刺史○四月周復作大

釋大證生
釋神行生

像○周以天官侍郎崔元暐同平章事○周以姚元崇爲春官尚書○七月周以楊再思爲內史○周貶戴令言爲長社令○周以韋安石爲揚州長史唐休璟兼幽營都督○周以岑羲爲天官員外郎○九月周以姚元之爲靈武道安撫大使○十月以秋官侍郎張柬之同平章事○十二月周張昌宗下獄旣而赦之○周以陽嶠爲右臺侍御史

長安四年裴挺之妻鄭氏碑○長安四年九月百門陂碑并陰及兩側

中宗神龍元年

復國號曰唐

正月張柬之等舉兵討武氏之亂張易之昌宗伏誅帝復位○遷太后於上陽宮上尊號曰則天大聖皇帝○流貶周宰相韋承慶房融崔神慶於嶺南○以姚元之爲亳州刺史○以楊再思同三品○以武三思爲司空○貶譙王重福爲均州刺史○以武攸曁爲司徒祝欽明同三品○以袁恕己爲中書令○三月徵武攸緒爲太子賓客○四月以鄭普思爲祕書監○葉靜能爲國子祭酒○以魏元忠韋安石李懷遠唐休璟崔元暐並同三品張柬之爲中書令○五月封敬暉爲平陽王桓彥範爲扶陽王張柬之爲漢陽王袁恕

王宏慶卒於十一月年六十七

已爲南陽王崔元暐爲博陵王罷其政事○遷周廟主於西京仍避其諱○以岑羲爲秘書少監畢構爲潤州刺史○以宋璟爲黃門侍郎○以楊元琰爲衛尉卿○以唐休璟豆盧欽望爲左右僕射○以韋安石爲中書令魏元忠爲侍中○七月以韋巨源同三品○以漢陽王張柬之爲襄州刺史○河南北十七州大水制求直言○韋巨源罷以魏元忠爲中書令楊再思爲侍中○冬上御樓觀潑寒胡戲○賜武三思張柬之等鉄券○皇太后武氏崩年八十一○武三思復修則天之政○上官婕妤勸韋后襲則天故事改制度以收時望

二年

閏正月

正月以李嶠同三品于惟謙同平章事○以平陽王敬暉扶陽王桓彥範南陽王袁恕己爲諸州刺史○二月以韋巨源同三品○制僧慧範道士史崇恩等並加五品階○置十道巡察使○韋安石罷以蘇瓌爲侍中唐休璟致仕○三月殺駙馬都尉王同皎○大置員外官○四月李懷遠致仕○殺處士韋月將以尹思貞爲青州刺史宋璟爲貝州刺史○六月加周仁軌鎮國大將軍○秋以李嶠爲中書令○武三思矯制殺敬暉桓彥

白道生生

範張柬之袁恕己崔元暐○十一月以竇從一爲雍州刺史
子壽中材堪爲經邦科○二月鄭仁愷碑

丁未

景龍元年
八月改元 景龍

二月復崇恩廟○七月太子重俊起兵誅武三思武崇訓兵潰而死○貶魏元忠爲務川尉道卒○九月以蕭至忠宗楚客紀處訥同三品于惟謙罷○以楊再思爲中書令韋巨源紀處訥爲侍中○殺習藝館內教蘇安恒

元希聲卒
乙速孤行儼卒於十二月年七十二
陸達禮卒年六十 月
年七十五

十月十七日盧正道勅○十八日口部將軍功德記○神龍三年五月盧公清德文

戊申

二年
閏九月

二月迎葉志忠鄭愔獻桑條韋歌○三月朔方總管張仁愿築三受降城○四月置修文館學士○七月以張仁愿同三品○上數與學士游宴賦詩天下靡然以文華相尚儒學忠讜之士莫得進○始用斜封墨勅除官○徵武攸緒入朝○以嬈好上官氏爲昭容○召王公近臣入閣守歲

正月龍興觀道德經○二月岑植德政碑

三年

正月帝幸元武門觀宮女拔河○郭山惲歌鹿鳴蟋蟀○李景伯侍宴作迴波辭曰迴波爾時酒巵微臣職在箴規侍宴旣過三爵諠譁竊恐非宜○三月以

顏清臣真卿生
楊再思卒
杜之巽鴻漸生
豆盧欽望卒
獨孤仁政卒於三

韋巨源楊再思爲左右僕射同三品宗楚客爲中書令蕭至忠爲侍中韋嗣立同三品崔湜趙彥昭同平章事○以韋溫鄭愔同三品○五月流鄭愔於吉州貶崔湜爲江州司馬○八月以李嶠同三品韋安石爲侍中蕭至忠爲中書令○九月以蘇瓌爲僕射同三品○以唐休璟同三品

五月法琬法師碑○邛清懿等石幢記

月年七十七

四年
睿宗景雲元年
六月改元唐隆
七月改元景雲

正月上觀燈於市里○上御梨園○四月幸隆慶池○六月皇后韋氏進毒弒帝（帝年五十五）以裴談張錫同三品張嘉福岑羲崔湜同平章事立溫王重茂○太平公主上官昭容草遺詔立太子重茂以相王輔政宗楚客刋改使韋后臨朝韋溫總兵○臨淄王隆基起兵討韋氏并其黨皆伏誅○七月相王旦即位廢重茂復爲溫王○以鍾紹京爲中書令尋罷之○以薛稷參知機務○以姚元之同三品○韋嗣立蕭至忠爲中書令趙彥昭崔湜並同平章事○以宋璟同三品○祝欽明作八風舞○停斜封官○詔以萬騎補外官更置飛騎○十月以薛訥爲幽州經畧節度大使○十一月以姚元之爲中書令○十二月以西

顏瑤卒於二月（三年）

（二十）瓛欽融卒

蘇昌容卒於十一月

月謚文貞年七十

二年
閏六月

城隆昌二公主爲女官。加李靳隱大中大夫。以宋璟爲吏部尚書姚元之爲兵部尚書。貶祝欽明郭山渾爲諸州長史
九月石佛寺石浮圖銘。十一月蘇瓌碑

正月以郭元振張說同平章事。二月以宋王成器爲同州刺史豳王守禮爲豳州刺史。貶姚元之爲申州刺史宋璟爲楚州刺史。劉幽求罷。以韋安石爲中書令李日知爲侍中。五月以薛謙光爲岐州刺史。六月置十道按察使。秋以韋安石爲左僕射同三品。九月以竇懷貞爲侍中。十月以陸象先同平章事。召司馬承禎至京師尋許還山。柳澤諫復斜封官

二月獨孤仁政碑。六月奉先觀祭告文。九月景龍觀鐘銘。涼州衛大雲寺碑

蕭孔明卒於正月　年六十七
郭思訓卒於九月
趙獻沖卒年五十二

太極元年
五月改元延和
八月太子即位
改元先天

春以竇懷貞岑義同三品。以蕭至忠爲刑部尚書。六月以岑義爲侍中。七月以竇懷貞爲左僕射平章軍國重事。八月帝傳位於皇太子隆基太子即位尊帝爲太上皇。以劉幽求爲僕射同三品魏知古爲侍中崔湜爲中書令。流劉幽求於封州。十二月刑部尚書李日知致仕

杜子美甫生
武攸暨卒
臧恭靖希晏生